GRANDS
TEXTES

sous la direction de Céline Thérien

Les poètes maudits et le symbolisme

Recueil de poèmes

Baudelaire, Verlaine, Rimbaud, Corbière et Lautréamont

Notes, questionnaires et synthèses
établis par **Pierre BARRETTE**,
professeur à l'Université du Québec à Montréal

LES ÉDITIONS
CEC

9001, boul. Louis-H.-La Fontaine, Anjou (Québec) Canada H1J 2C5
Téléphone: 514-351-6010 • Télécopieur: 514-351-3534

Direction de l'édition
Katie Moquin

Direction de la production
Danielle Latendresse

Direction de la coordination
Rodolphe Courcy

Charge de projet
Juan Carlos Arellano López

Révision linguistique
Nicole Lapierre-Vincent

Correction d'épreuves
Marie Théorêt

Conception et réalisation graphique
Girafe & associés

Illustration de la couverture
Stéphane Jorisch

Les Éditions CEC inc. remercient le gouvernement du Québec de l'aide financière accordée à l'édition de cet ouvrage par l'entremise du Programme de crédit d'impôt pour l'édition de livres, administré par la SODEC.

Les poètes maudits et le symbolisme,* collection *Grands Textes
© 2014, Les Éditions CEC inc.
9001, boul. Louis-H.-La Fontaine
Anjou (Québec) H1J 2C5

Dépôt légal : 2014
Bibliothèque et Archives nationales du Québec
Bibliothèque et Archives Canada

ISBN 978-2-7617-6700-2

Imprimé au Canada
1 2 3 4 5   18 17 16 15 14

Imprimé sur papier contenant 100 % de fibres recyclées postconsommation.

sommaire

Sommaire

Sommaire

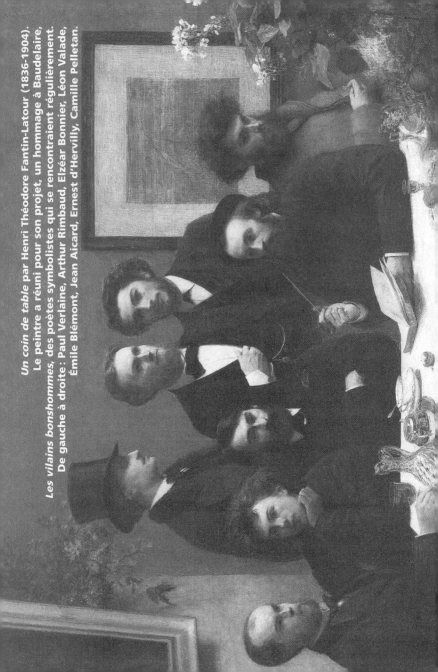

Un coin de table par Henri Théodore Fantin-Latour (1836-1904).
Le peintre a réuni pour son projet, un hommage à Baudelaire,
Les vilains bonshommes, des poètes symbolistes qui se rencontraient régulièrement.
De gauche à droite : Paul Verlaine, Arthur Rimbaud, Elzéar Bonnier, Léon Valade,
Émile Blémont, Jean Aicard, Ernest d'Hervilly, Camille Pelletan.

PRÉSENTATION

Quel lien les poètes présentés dans ce recueil ont-ils entre eux ?

En effet, qu'ont en commun les poètes ici rassemblés ? Rimbaud, Verlaine, Baudelaire, Corbière et Lautréamont ont marqué la littérature française du XIXe siècle par leur génie poétique ; l'histoire leur a d'ailleurs réservé le titre de *poètes maudits*. Cette dénomination a ceci de particulier de ne pas se laisser réduire à quelque trait biographique qui en épuiserait la signification ; elle ne renvoie pas, non plus, au sens strict, à une caractéristique intrinsèque de l'œuvre, indépendante de la vie des poètes. C'est au croisement de son existence – souvent misérable, marquée par la pauvreté, la maladie, la souffrance, l'exclusion – et de son œuvre – mal comprise, mésestimée de son vivant, mais toujours marquée par une recherche d'idéal et de beauté, même dans la provocation et l'exploitation de thèmes controversés – que se révèle cette « malédiction ».

Si toutes les époques ont ostracisé des artistes devenus par la suite célèbres, c'est au XIXe siècle, en France, que la figure du poète marginal devient un mythe littéraire commun et tenace. On doit à Verlaine d'avoir fixé pour la postérité cette image de poète incompris, rejeté par ses contemporains, souvent pauvre et souffrant, incarnant tout à la fois l'orgueil de l'artiste désintéressé et spirituel et sa mise au ban par une société de plus en plus guidée par les valeurs de l'argent et du succès. Le « mal » qui le frappe est multiforme et diversement vécu par le poète, mais il renvoie invariablement à la singularité du créateur, être d'exception, dont la vocation littéraire constitue par ailleurs un handicap qui contribue à son isolement social. Personne n'a mieux résumé que Baudelaire, dans son célèbre poème *L'Albatros*, cette image du poète maudit :

> *Le Poète est semblable au prince des nuées*
> *Qui hante la tempête et se rit de l'archer ;*
> *Exilé sur le sol au milieu des huées,*
> *Ses ailes de géant l'empêchent de marcher.*

« Prince des nuées », c'est-à-dire à l'aise dans l'air raréfié des hauteurs de la création, le poète est trop souvent inapte et pris au dépourvu quand vient le temps de faire face aux obligations du quotidien. Certes, le statut des artistes, à toutes les époques, a soulevé des problèmes particuliers et leur marginalisation n'est pas un phénomène propre au XIXe siècle. Jadis entretenus par de riches mécènes*, participants souvent auréolés de prestige à la vie culturelle de leur temps, les artistes, aristocrates* par l'esprit à défaut d'en avoir les privilèges, pouvaient peut-être mieux supporter d'être, en quelque sorte, les vassaux* de maîtres puissants. Durant la période qui nous intéresse ici, les artistes, et plus particulièrement les poètes, vivent, en même temps que la fin de la monarchie et le triomphe de la bourgeoisie* marchande, la transition à la fois difficile et enivrante vers le monde moderne, une transition dont ils sont tout autant les hérauts* que les victimes.

Le poète maudit, c'est donc aussi celui dont l'œuvre et la vie illustrent avec fracas le refus des conventions, une posture qui deviendra presque banale au XXe siècle, mais qui était encore jugée scandaleuse à cette époque : la relation sulfureuse entre Rimbaud et Verlaine, leur bohème* voyageuse, l'évocation des amours lesbiennes par Baudelaire ou sa consommation de drogue, la férocité même des images dont use Lautréamont, l'ironie* caustique de Corbière, par exemple, contribuent à marginaliser ces auteurs qui ont fait, avant l'heure, de l'individualisme leur cheval de bataille, parfois jusqu'à l'outrance. Mais n'est-ce pas justement ce côté bohème, cet attachement à la figure du dandy* et à tous les excès qui lui sont rattachés qui, encore aujourd'hui, nous les rendent si attachants ?

Plus près de nous, la notoriété de poètes comme Émile Nelligan (1879-1941), proche des poètes évoqués dans le présent recueil tant par l'inspiration que par l'existence tragique ou, encore, Hector de Saint-Denys Garneau (1912-1943), décédé à trente et un ans après une vie difficile, marquée par les souffrances et les tentations suicidaires, rappelle l'universalité de la figure du poète maudit et son ancrage tenace dans la manière dont nous entrevoyons le destin des poètes.

* : *Cf. Glossaire*

Description de l'époque : les poètes maudits et le XIXᵉ siècle

Quelques notions préliminaires

Tous les poètes réunis dans le présent recueil ont été actifs sur la scène littéraire durant la seconde moitié du XIXᵉ siècle, une période marquée en Europe et au Canada, quoiqu'un peu plus tardivement dans ce dernier cas, par l'industrialisation massive de l'économie, dont les effets se font sentir aussi bien sur les plans social et politique qu'artistique. La montée en force de la bourgeoisie, portée par le triomphe d'un capitalisme souvent sauvage, relègue au second plan les valeurs propres à la vieille aristocratie – notamment l'honneur, l'importance accordée à la naissance et le culte du passé – pour les remplacer par celles de l'argent et du progrès à tout prix. Cette révolution des moyens de production s'accompagne d'une grande instabilité politique : la France connaîtra, entre 1830 et 1880, pas moins de cinq régimes politiques différents.

Les poètes maudits, de leur côté, vivent en marge de la société de leur époque. Cela s'explique par divers facteurs, parmi lesquels il faut d'abord évoquer le clivage des valeurs. La révolution industrielle et le triomphe de la bourgeoisie orientent la créativité vers l'invention scientifique, laissant peu de place à la vie de l'esprit, à la recherche de la beauté pour elle-même. Les valeurs d'efficacité, de rendement, de progrès et la philosophie positiviste – qui marque la victoire de l'esprit scientifique sur les superstitions – entrent en contradiction avec la sensibilité poétique ; celle-ci valorise les sentiments, la quête d'idéal ainsi que les correspondances entre des ordres de réalité en apparence hétérogènes. Des poètes comme Baudelaire, Rimbaud et, plus particulièrement, Lautréamont expriment avec force leur refus du monde tel qu'il se déploie sous leurs yeux ; ils récusent la place que prend l'argent dans la vie de leurs concitoyens, mais aussi l'aspect étriqué, sans envergure du mode de vie bourgeois, auquel ils opposent la bohème, revendiquant une liberté sans limites et la possibilité de faire leurs propres choix.

Mercantile

Relatif au commerce.

Dans ce monde résolument séduit par les promesses de la science, mais néanmoins brutalement mercantile*, s'opposent deux grandes classes, dont les intérêts divergent. D'un côté se trouvent les propriétaires terriens, issus des vieilles familles de la noblesse, qui se sont convertis aux avantages du capitalisme tout en s'associant aux commerçants et aux industriels venus de la grande bourgeoisie. De l'autre côté se trouve le prolétariat*, terme qui désigne la masse laborieuse des hommes, des femmes et bien souvent des enfants, dont les conditions de vie, mises au service de la grande industrie, sont particulièrement affligeantes.

Prolétariat

Synonyme de *classe ouvrière*.

Au Québec, l'industrialisation massive s'est faite un peu plus tardivement, et, à la fin du XIXe siècle, une bonne partie de la population vit encore à la campagne des fruits de l'agriculture. Toutefois, la modernisation est bien enclenchée et les centres urbains, Montréal en tête, voient leur population croître rapidement, avec des conséquences aussi pénibles qu'en Europe.

* : *Cf. Glossaire*

> **Quelle influence exerce l'époque sur les poètes symbolistes ? Comment y réagissent-ils ?**

Le contexte sociopolitique

Marquée par la Révolution française* de 1789 qui a bouleversé un ordre millénaire, la France du XIXe siècle vit une très grande instabilité politique.

En 1793, Louis XVI est guillotiné, ce qui semble indiquer la fin du régime de la monarchie absolue. Son exécution est suivie de celle des quatre jeunes chefs révolutionnaires, Georges Jacques Danton (1759-1794), Camille Desmoulins (1760-1794), Louis Antoine de Saint-Just (1767-1794) et Maximilien Robespierre (1758-1794), qui non seulement s'entredéchirent, mais soumettent la population à un régime de Terreur*. Leur disparition laisse la voie libre à un jeune général ambitieux, Napoléon Bonaparte*, glorifié par ses victoires militaires contre les puissances frontalières, qui cherchaient à envahir une France affaiblie par l'agitation politique. Sacré empereur des Français, Napoléon Ier gouverne la France jusqu'en 1814 pour être finalement forcé à l'exil par sa défaite aux mains des Anglais à Waterloo. Les frères cadets de Louis XVI reprennent alors le pouvoir : c'est la restauration* de la monarchie. Toutefois, en 1830, les Parisiens se soulèvent contre Charles X, trop attaché à ses prérogatives royales, ce qui provoque sa chute. Louis-Philippe*, qui lui succède, accepte un assouplissement du régime. Cette monarchie constitutionnelle* prend fin en 1848 et cède la place à la IIe république, qui sera cependant de courte durée. Cette même année est établi le suffrage universel* masculin, les femmes n'obtenant pour leur part le droit de vote qu'en 1944.

En 1852, Napoléon III*, qui profite du prestige associé au nom des Bonaparte (il est le neveu de

Révolution française

Enclenchée en 1789, cette insurrection populaire mène à la fin de l'Ancien Régime (régime reposant sur les privilèges et l'arbitraire).

Terreur

Radicalisation de la révolution qui mène à des exécutions massives.

Restauration

Retour à la monarchie.

Monarchie constitution-nelle

Assouplissement du régime monarchique dans le sens de la démocratie.

Suffrage universel

En régime démocratique, droit de vote accordé d'abord aux hommes, puis plus tardivement aux femmes.

*** : Cf. Glossaire**

Napoléon Ier), prend le pouvoir par un coup d'État et installe le Second Empire qui dure jusqu'en 1870. Sous sa férule, le pays vit une période de prospérité qui profite surtout aux grands industriels alors que le peuple continue de vivre dans des conditions très difficiles, car la classe politique bloque les mesures sociales susceptibles d'améliorer ses conditions de travail. En 1870, l'empereur est forcé à démissionner à la suite de sa défaite aux mains de l'armée prussienne et la IIIe république est déclarée la même année. Le paysage politique se transforme. Les affrontements ne se feront plus désormais entre monarchistes*, bonapartistes* et républicains*, mais bien entre les défenseurs des valeurs de l'ordre et de la patrie, situés à la droite de l'échiquier politique, et les partisans de réformes sociales permettant une meilleure répartition des richesses, situés à gauche de l'échiquier politique.

Appartenant à la gauche républicaine, Jules Ferry (1832-1893) fait voter, dans les années 1880, un ensemble de lois promulguant l'éducation obligatoire et gratuite. Puis, plus tard, dans la célèbre affaire Dreyfus (qui dure de 1894 à 1906), les militants réformistes, parmi lesquels se trouve Émile Zola, obtiennent la réhabilitation du jeune officier accusé sur foi de documents falsifiés, et forcent l'état-major militaire à rendre des comptes. Le procès révèle par la même occasion un fort courant d'antisémitisme répandu dans l'armée, mais aussi dans plusieurs couches de la société. Toujours grâce aux efforts concertés de la gauche est votée en France en 1905 la loi de la séparation de l'Église et de l'État, qui fait de la France un pays laïque. Plusieurs autres mesures concernant notamment la syndicalisation des travailleurs permettent d'améliorer le sort des masses laborieuses sans nuire au développement économique de la France qui conserve, à l'aube du XXe siècle, son statut de grande puissance européenne.

Monarchistes

Partisans du régime de la monarchie.

Bonapartistes

Partisans du régime impérial en France.

Républicains

Partisans de la démocratie (régime présidentiel).

* : *Cf. Glossaire*

Le contexte artistique

L'histoire littéraire associe généralement les poètes de la seconde moitié du XIXe siècle – et donc les poètes rassemblés dans ce recueil – au courant symboliste*, qui comprend en outre des peintres (Odilon Redon [1840-1916], Pierre Bonnard [1867-1947]), des musiciens (Claude Debussy [1862-1918]) et au moins un romancier important (J. K. Huysmans [1848-1907], auteur du roman À rebours). Il s'agit surtout d'une association posthume dans la mesure où le terme lui-même n'a été proposé qu'en 1886 par Jean Moréas (1856-1910), aujourd'hui considéré comme un poète mineur. En effet, aucun des poètes aujourd'hui considérés comme symbolistes (Baudelaire, Verlaine ou Rimbaud) n'a revendiqué son affiliation à ce courant; ils en sont plutôt les précurseurs. Pourtant, cette appartenance avait bien du sens à l'époque, car c'est Baudelaire, d'abord, qui, comparant la nature à « une forêt de symboles » et évoquant « les parfums, les couleurs et les sons (qui) se répondent », jette en quelque sorte les bases d'une conception suggestive, sensualiste, mystérieuse et intuitive de la poésie dans laquelle se reconnaîtront et que prolongeront ses successeurs, au point qu'il devenait possible de les envisager comme un groupe lié par l'importance accordée aux symboles.

À plusieurs égards, les artistes symbolistes entretiennent une dette à l'endroit de leurs prédécesseurs romantiques. Ils conservent en effet, du plus important courant littéraire et artistique de la première moitié du XIXe siècle, la place centrale donnée « au mal du siècle ». Ce sentiment diffus d'inconfort, de nostalgie, d'isolement du monde auquel Baudelaire donnera le nom de « spleen* » en lui ajoutant une dimension plus profondément existentielle, joue comme un des moteurs de la création poétique. Les romantiques rejetaient certains aspects du monde contemporain qu'ils jugeaient

Spleen
Mélancolie.

* : Cf. Glossaire

médiocre et matérialiste, lui préférant l'univers des sentiments passionnés, du rêve et de l'évasion vers un ailleurs souvent idyllique*. Les symbolistes, pour leur part, se montrent plus radicaux encore et suggèrent que le monde réel n'est constitué que d'apparences, qu'il existe en fait une autre réalité, plus profonde, plus complète, plus mystérieuse que la poésie permet de révéler.

Idyllique

Idéalisé.

Toutefois, les symbolistes renoncent au culte de la nature et rompent avec le sentimentalisme qu'ils jugent parfois un peu mièvre des romantiques. Ici encore, Baudelaire est probablement le précurseur en ce qu'il présente dans ses poèmes une conception de l'amour et de la sexualité qui est très nouvelle et proprement scandaleuse pour beaucoup de ses contemporains : l'amour entre femmes, le plaisir charnel et l'évocation mêlée de la volupté et de la débauche rompent nettement avec le moralisme des romantiques. L'attrait du vin et des drogues caractérise aussi plusieurs de ces poètes, qui y recourent tantôt par souci de fuir une réalité qui les accable, tantôt comme un moyen pour accéder aux autres dimensions du réel.

Symbolisme

Mouvement esthétique de la fin du XIXᵉ siècle, qui s'inscrit contre le matérialisme et le natura-lisme. Pour les symbolistes, le monde est à déchiffrer à travers des symboles, des correspondances entre les choses et les êtres. Ses plus illustres représentants sont Verlaine, Mallarmé, Cros, Rimbaud et Laforge.

Contemporains du symbolisme*, le réalisme et le naturalisme ont donné à la littérature française certains de ses auteurs les plus connus et célébrés (Gustave Flaubert [1821-1880], Guy de Maupassant [1850-1893], Émile Zola [1840-1902]), romanciers et nouvellistes, qui mettent en évidence les rapports de l'homme et de son milieu en proposant des univers contemporains, fidèlement rendus avec force détails, portés par un pessimisme souvent virulent. Le naturalisme poussera même ce souci de l'exactitude historique au point d'avancer une méthode se réclamant de la science. Contrairement aux romans, à la nouvelle et même au théâtre dans une large mesure, la poésie se prête fort mal à la description d'une époque ou à l'exploration psychologique de personnages carac-téristiques de leur milieu. Le réalisme littéraire – très

* : *Cf.* Glossaire

important durant la seconde moitié du XIXe siècle – a donc très peu de prise sur les poètes, qui, au contraire, tendront même à s'en éloigner volontairement et à rechercher un mode d'expression qui favorise un certain déni du réel et des apparences, jugés par trop étrangers à l'expérience quasi mystique attribuée à la poésie.

Les symbolistes sont par ailleurs fréquemment présentés comme les précurseurs du surréalisme*. Les poètes et les artistes associés à cet important courant de la première moitié du XXe siècle (André Breton [1896-1966], Louis Aragon [1897-1982], Paul Éluard [1895-1952], Salvador Dali [1904-1989]) ont en effet souvent reconnu leurs dettes à l'égard des poètes symbolistes, qu'ils ont très largement contribué à faire connaître. Alors que les symbolistes disent explorer le rêve, les surréalistes, très intéressés par les idées de Sigmund Freud et par la psychanalyse naissante, s'intéressent à l'inconscient. La sexualité et la folie deviennent des thèmes de prédilection. De sensorielle et synesthésique* qu'elle était chez les symbolistes, la figure de style se fonde désormais sur des liens plus arbitraires chez les surréalistes. Enfin, ceux-ci rompent avec la métrique traditionnelle et poussent plus loin la liberté formelle, notamment en laissant tomber la ponctuation dans leurs vers*.

La contribution des symbolistes

L'importance accordée aux poètes rassemblés ici sous la bannière du symbolisme et fréquemment désignés comme « maudits » tient par ailleurs beaucoup au fait qu'ils ont opéré dans l'histoire de la poésie une rupture significative, qui tient tant au contenu qu'à la forme du langage poétique. Il est ainsi possible de synthétiser leur contribution en tenant compte des trois aspects qui définissent la poésie, soit le sens, l'image et le rythme.

Surréalisme

Courant artistique (1920-1950) favorisant l'accès aux rêves et à l'inconscient, notamment par le moyen de l'écriture automatique.

Synesthésique

Relatif à la figure de style présentant la combinaison de plusieurs sensations.

Vers

En poésie, assemblage de mots cadencés (sur une même ligne) selon certaines règles.

*: *Cf.* Glossaire

Du point de vue de la signification inhérente à tout poème, les symbolistes ont imposé l'idée que l'artiste ne fait pas que révéler la beauté telle qu'elle peut se présenter dans la nature ou encenser la noblesse des grandes âmes. Selon Baudelaire, c'est l'artiste qui sait faire surgir la beauté par les mots, par sa façon unique de les agencer. Un romantique n'aurait pas fait l'éloge de la prostitution ni décrit une charogne, parce que, dans sa conception, il devait transposer dans ses vers la beauté du monde tel que créé par Dieu, et la « bonne morale sociale ». *A contrario*, un poète maudit croit, lui, que tout trait, toute attitude qui définit l'être humain est digne de son intérêt. La décrépitude, la décadence, le vice, les paradis artificiels qu'entraîne la consommation de drogues sont autant de thèmes d'inspiration qui contribuent à mieux nous faire comprendre l'appellation de poètes maudits qui les désigne.

N'étant en général que poètes, les symbolistes ont aussi développé une grande conscience de ce qui distingue la poésie des autres genres. Sans avoir inventé un type de figures de style particulier, Baudelaire est sensible au fait qu'il est possible d'établir des correspondances sensorielles, mais aussi des correspondances entre les sens et les idées, notamment par les métaphores*, qui, par le fait même, acquièrent un caractère synesthésique. On trouve certes ce genre d'images chez leurs prédécesseurs romantiques, mais les symbolistes ont ceci de particulier qu'ils élèvent l'image poétique au rang d'instrument de connaissance. Ainsi, ils reconnaissent passer par les sensations pour aller vers les idées, partir du corps pour aller vers l'idéal ou vers le spirituel (avec tout ce qu'il peut y avoir d'imprécis dans ce mot). Ils se trouvent ainsi à revaloriser le corps, encore perçu à cette époque comme une source de péché. Car les symbolistes, en effet, ne craignent pas de s'en prendre aux tabous religieux, notamment ceux qui touchent l'amour entre hommes et femmes, mais aussi l'amour entre partenaires du même sexe.

Métaphore

Figure de style qui installe un rapport d'analogie entre deux réalités différentes, sans l'usage d'un élément de comparaison.

* : *Cf.* Glossaire

Entraînés par leur désir d'innovation, les symbolistes, sans renoncer totalement à la tradition, franchissent également de nombreuses étapes vers une versification libérée de toute contrainte. Ils passent du vers pair au vers impair, marquant ainsi leur distance avec l'idée de la beauté classique et du rythme régulier. Ils introduisent de nombreuses irrégularités dans la forme fixe du sonnet*. Finalement, ils optent pour le vers libre et vont jusqu'au poème en prose. En somme, après leur fulgurant passage, il reste peu de conventions à liquider ! Ils n'ont pas fait de poèmes graphiques* (Guillaume Apollinaire [1880-1918] s'en chargera). Ils ont maintenu le lien logique entre les mots et ils ont conservé en général l'organisation syntaxique sans larguer la ponctuation (Apollinaire s'en chargera aussi).

On peut ainsi conclure que leur titre de poètes maudits leur convient pour un dernier motif : après eux, rien ne sera plus jamais pareil. La poésie sera dès lors tenue à l'innovation, toujours à l'avant-poste de l'exploration littéraire. Les poètes symbolistes auront donc été en quelque sorte les premiers à assumer ce rôle ingrat d'« avant-gardistes » qui ne sont pas en « harmonie » avec l'époque parce que, inexorablement, leur choix a plutôt été celui d'annoncer la suivante.

Sonnet

Poème à forme fixe, constitué de deux quatrains suivis de deux tercets. Dans le sonnet classique dit *régulier*, la disposition des rimes est : abba/abba/ccd/ ede (ou ccd/eed).

Poème graphique

Appelé aussi *calligramme*, c'est un poème présenté de manière à ce qu'il dessine, graphiquement, un objet, normalement celui dont il est question dans le poème.

* : *Cf. Glossaire*

À retenir

- C'est au croisement d'une existence souvent misérable – marquée par la pauvreté, la maladie, la souffrance, l'exclusion – et de son œuvre mal comprise, mésestimée de son vivant que se révèle la « malédiction » du poète.

- La révolution industrielle s'accompagne en France d'une grande instabilité politique : celle-ci connaîtra, entre 1830 et 1880, pas moins de cinq régimes politiques différents.

- Des poètes comme Baudelaire, Rimbaud et Lautréamont expriment avec force leur refus du monde tel qu'il se déploie sous leurs yeux ; ils récusent la place que prend l'argent dans la vie de leurs concitoyens, mais aussi l'aspect étriqué, sans envergure du mode de vie bourgeois.

- Les symbolistes ont imposé l'idée que l'artiste ne fait pas que révéler la beauté telle qu'elle peut se présenter dans la nature ou encenser la noblesse des grandes âmes ; c'est lui qui sait faire surgir la beauté par les mots, par sa façon unique de les agencer.

Le tableau qui suit présente une vision synthétique des caractéristiques du symbolisme, qui pourra favoriser l'analyse des poèmes retenus.

Tableau synthèse s'appliquant à la poésie symboliste

Réseaux poétiques	Caractéristiques
I Réseau du sens Le *poète maudit* transgresse les tabous sociaux et les normes du genre poétique.	• Thématique subversive. • Invocation de Satan. • Marginalité, errance, révolte, liberté. • Monde urbain, monde nocturne. • Le processus de création transformé en thème dans de nombreux manifestes aussi appelés *Arts poétiques**.
II Réseau de l'image Le poète est un peintre du langage qui considère le symbole comme l'élément du poème établissant le lien entre le monde matériel (les sensations) et le monde spirituel (l'idéal).	• Prédilection pour les métaphores à caractère synesthésique (reliées au sensoriel). • Associations très personnelles (qui contribuent au caractère hermétique des poèmes). • Glissement vers l'onirisme*, les hallucinations, les fantasmes.
III Réseau du rythme Le poète est un musicien du langage qui explore les possibilités formelles de la poésie.	• Renouvellement des formes poétiques : du vers régulier au poème en prose. • Travail sur la structure et la sonorité de la phrase et du vers.

---

1. Source : Céline Thérien, *Anthologie de la littérature d'expression française*, tome 2, 3e édition, Les Éditions CEC, 2013.

* : *Cf.* Glossaire

Le symbolisme a influencé toutes les formes d'art, notamment
la peinture. Une période de la production de Gustav Klimt (1862-1918),
peintre autrichien, est associée à ce courant.

Les poètes maudits
en leur temps

	Vie et œuvre des poètes maudits	Événements historiques	Événements culturels et scientifiques
1821	Naissance de Baudelaire.		
1827			Hugo, *Cromwell*, accompagné d'une préface-manifeste en faveur du drame romantique.
1830		Révolution de Juillet en France : instauration d'une monarchie constitutionnelle dont le roi est Louis-Philippe.	Hugo, *Hernani* : la pièce fait scandale et une bataille éclate en salle lors de la première.
1831			Hugo, *Notre-Dame de Paris*.
1837		Début des rébellions des Patriotes dans le Bas-Canada.	Invention du télégraphe électrique par Samuel Morse.
1839			Poe, *Histoires extraordinaires*.
1844	Baudelaire est mis sous la tutelle d'un conseil judiciaire. Naissance de Verlaine.		Dumas, *Les trois mousquetaires*.
1845	Tentatives de suicide et premières publications de Baudelaire : *Salon de 1845* et « À une dame créole ». Naissance de Corbière.		Gautier, *Poésies complètes*. François-Xavier Garneau, *Histoire du Canada depuis sa découverte jusqu'à nos jours*.

	Vie et œuvre des poètes maudits	Événements historiques	Événements culturels et scientifiques
1846	Naissance de Lautréamont.	Crise économique en Europe.	
1848	Baudelaire participe à la révolution républicaine.	Révolution en France et dans plusieurs autres pays d'Europe.	Marx et Engels, *Manifeste du parti communiste*. Début du réalisme en peinture avec Courbet et Daumier.
1851	Publication de onze poèmes de Baudelaire recueillis sous le titre *Les limbes*.	Coup d'État de Louis-Napoléon Bonaparte.	
1852		Instauration du Second Empire.	Un Français fait décoller le premier dirigeable.
1853		Début de la guerre de Crimée, qui oppose la Russie impériale à une coalition formée par la France, le Royaume-Uni et l'Empire ottoman.	
1854	Naissance de Rimbaud.		
1855	Baudelaire publie dix-huit poèmes sous le titre *Les fleurs du mal*.		Nerval, *Aurélia*.

	Vie et œuvre des poètes maudits	Événements historiques	Événements culturels et scientifiques
1856	Baudelaire publie la traduction des Histoires extraordinaires et des Nouvelles histoires extraordinaires d'Edgar Poe.	Fin de la guerre de Crimée : traité de Paris.	Hugo, *Les contemplations*.
1857	Publication et condamnation des *Fleurs du mal*.		Flaubert, *Madame Bovary*.
1858			Octave Crémazie, *Le drapeau de Carillon*.
1859			Darwin, *De l'origine des espèces*.
1861		Début de la guerre de Sécession, aux États-Unis.	
1862			Hugo, *Les misérables*.
1863			Philippe Aubert de Gaspé (père), *Les anciens Canadiens*. Première automobile à pétrole par Lenoir. Premier chemin de fer souterrain à Londres.
1864	Baudelaire publie quatre poèmes en prose sous le titre de *Spleen de Paris*.	Obtention du droit de grève en France.	

	Vie et œuvre des poètes maudits	Événements historiques	Événements culturels et scientifiques
1865		Abolition de l'esclavage aux États-Unis.	
1866	Baudelaire publie *Les Épaves* et les *Nouvelles fleurs du mal.* Verlaine publie les *Poèmes saturniens.*	Agitation sociale en France.	Alfred Nobel invente la dynamite.
1867	Mort de Baudelaire.	Fédération canadienne.	Marx, *Le capital.* Exposition universelle à Paris.
1869	Verlaine publie *Fêtes galantes.* Lautréamont publie *Les chants de Maldoror.*	Vendredi noir à Wall Street.	
1870	Mort de Lautréamont.		
1871	Rencontre de Rimbaud et Verlaine.		

	Vie et œuvre des poètes maudits	Événements historiques	Événements culturels et scientifiques
1873	Verlaine est emprisonné. Rimbaud publie *Une saison en enfer*. Corbière publie *Les Amours jaunes*.		
1875	Mort de Corbière.		
1884	Verlaine publie *Les poètes maudits*.		Twain, *Les aventures de Huckleberry Finn*. Début du journal *La Presse*.
1891	Mort de Rimbaud.		
1896	Mort de Verlaine.	Début de la ruée vers l'or du Klondike.	Jarry, *Ubu roi*.

Les poètes maudits et le symbolisme

Recueil de poèmes

Baudelaire, Verlaine, Rimbaud, Corbière
et Lautréamont

Charles Baudelaire

Romantisme

Mouvement
littéraire du
début du siècle
mettant l'accent
sur la sensibilité
subjective.

Modernité

Caractère de ce
qui est moderne,
notamment dans
le domaine
artistique.

Edgar Allan Poe

Écrivain et poète
américain
(1809-1849).

Héritier de la tradition classique, Baudelaire est à cheval, en ce milieu XIXe siècle, entre le romantisme* déclinant et une modernité* qui s'affirme progressivement. Il incarne mieux que quiconque le tournant littéraire qui voit, durant la décennie 1850-1860, s'imposer une conception renouvelée de la poésie. Sur le plan biographique, deux événements marquèrent spécialement la jeunesse de Baudelaire : la mort de son père, un peintre de talent déjà âgé à la naissance de son fils, et le remariage de sa mère au commandant Jacques Aupick, personnage autoritaire qui désapprouve violemment les idées républicaines et le mode de vie dissolu de son beau-fils.

C'est d'ailleurs dans le but de l'éloigner des tentations et des mauvaises influences que le militaire force le jeune homme à s'embarquer en 1841 sur un bateau en partance pour les Indes. Le poète, tombé malade, ne se rendra jamais à destination (il fera demi-tour aux Îles Maurice), mais il gardera de ce voyage des impressions puissantes, un goût fort pour l'exotisme, les voyages et l'évasion. À son retour à Paris, il rompt avec son milieu familial, se distingue comme critique d'art (métier qu'il pratique pour subvenir à ses besoins), traduit les œuvres de l'écrivain américain Edgar Allan Poe* et adopte le style de vie des dandys, dont il reste encore aujourd'hui une des plus célèbres incarnations.

Même s'il n'a publié de son vivant que deux titres, Baudelaire est considéré par plusieurs comme le poète de langue française le plus important. Il a laissé en héritage plusieurs œuvres majeures (*Petits poèmes en prose*, aussi appelé *Spleen de Paris, Les paradis artificiels*), mais le chef-d'œuvre qui lui assura une place au panthéon littéraire est son recueil *Les fleurs du mal*, livre riche et sulfureux, au croisement du romantisme,

* : *Cf.* Glossaire

du Parnasse* et du symbolisme, et qui lui vaudra un retentissant procès pour outrage aux bonnes mœurs. Le régime en cours est celui du Second Empire (le coup d'État de Napoléon III en 1851 met fin à la IIe république [1848-1851]), un régime marqué par son conservatisme autoritaire. Fortement endetté, « exilé volontaire » en Belgique où ses conférences sur l'art n'attirent pas les foules, sa candidature est pressentie pour entrer à l'Académie française, mais il n'obtient finalement aucun vote. Frappé par la syphilis, qu'il a vraisemblablement contractée durant sa jeunesse, il meurt à quarante-six ans.

Parnasse

Mouvement littéraire de la seconde moitié du XIXe siècle, qui favorise, surtout en poésie, la perfection formelle tout en rejetant l'engagement au service d'une cause sociale ou politique.

* : *Cf.* Glossaire

Les fleurs du mal

PRÉSENTATION

Les fleurs du mal, œuvre majeure de la poésie moderne, sera l'unique recueil de poèmes en vers de Charles Baudelaire. L'essentiel de l'expérience poétique de l'auteur pendant près de quinze ans se trouve dans ce recueil, influencé à la fois par le romantisme (l'ennui de vivre [le spleen], le mythe de l'écrivain rejeté, la priorité donnée au lyrisme*) et par le mouvement parnassien (des vers ciselés, un travail singulier d'exploration formelle). *Les fleurs du mal* est aussi généralement considéré comme une des œuvres ayant inspiré le symbolisme (essentiellement la «théorie des correspondances», en particulier l'exploration de métaphores sensorielles liées au monde des idées, et la thématique de la «malédiction»).

Composé de six sections et de cent poèmes, édité en 1857, le recueil aux thèmes controversés provoquera de vives réactions, dont une accusation par le ministère public, lequel censurera plusieurs de ces poèmes pour outrage à la morale et aux bonnes mœurs.

* : *Cf.* Glossaire

L'ALBATROS

Souvent, pour s'amuser, les hommes d'équipage
Prennent des albatros, vastes oiseaux des mers,
Qui suivent, indolents compagnons de voyage,
Le navire glissant sur les gouffres amers.

5   À peine les ont-ils déposés sur les planches,
Que ces rois de l'azur, maladroits et honteux,
Laissent piteusement leurs grandes ailes blanches
Comme des avirons traîner à côté d'eux.

Ce voyageur ailé, comme il est gauche et veule[1]!
10   Lui, naguère[2] si beau, qu'il est comique et laid!
L'un agace son bec avec un brûle-gueule,
L'autre mime, en boitant, l'infirme[3] qui volait!

Le Poète est semblable au prince des nuées
Qui hante la tempête et se rit de[4] l'archer;
15   Exilé sur le sol au milieu des huées,
Ses ailes de géant l'empêchent de marcher.

---

notes

1. veule : sans énergie, nonchalant.
2. naguère : autrefois.
3. l'infirme : le faible, l'instable.
4. se rit de : regarde quelque chose avec mépris.

Charles Baudelaire

CORRESPONDANCES

La Nature est un temple où de vivants piliers
Laissent parfois sortir de confuses paroles;
L'homme y passe à travers des forêts de symboles
Qui l'observent avec des regards familiers.

5   Comme de longs échos qui de loin se confondent,
Dans une ténébreuse et profonde unité,
Vaste comme la nuit et comme la clarté,
Les parfums, les couleurs et les sons se répondent.

Il est des parfums frais comme des chairs d'enfants,
10   Doux comme les hautbois[1], verts comme les prairies,
– Et d'autres, corrompus[2], riches et triomphants,

Ayant l'expansion des choses infinies,
Comme l'ambre[3], le musc[4], le benjoin[5] et l'encens,
Qui chantent les transports[6] de l'esprit et des sens.

1. hautbois: instrument de musique à vent, semblable à une clarinette. Le son qu'il produit peut être fort ou doux.
2. corrompus: au sens vieilli, en état de décomposition. Au sens figuré, *corrompu* veut dire « de mauvais goût ». Au sens plus courant, on parle de morale dissolue.
3. ambre: parfum apprécié pour sa rareté. Il est extrait des concrétions intestinales des cachalots, rejetées dans la mer.
4. musc: parfum extrait à partir d'une substance sécrétée par les glandes abdominales d'un genre de cervidé.
5. benjoin: résine aromatique provenant du styrax, arbre des régions chaudes de l'Amérique et de l'Asie.
6. transports: dans son sens vieilli ou soutenu, ce mot indique une passion démesurée éprouvée par une personne.

LA BEAUTÉ

Je suis belle, ô mortels, comme un rêve de pierre,
Et mon sein, où chacun s'est meurtri tour à tour,
Est fait pour inspirer au poète un amour
Éternel et muet ainsi que la matière.

5   Je trône dans l'azur comme un sphinx[1] incompris ;
J'unis un cœur de neige à la blancheur des cygnes ;
Je hais le mouvement qui déplace les lignes,
Et jamais je ne pleure et jamais je ne ris.

Les poètes devant mes grandes attitudes[2],
10   Qu'on dirait que j'emprunte aux plus fiers monuments[3],
Consumeront leurs jours en d'austères études ;

Car j'ai pour fasciner ces dociles amants
De purs miroirs qui font les étoiles plus belles[4] :
Mes yeux, mes larges yeux aux clartés éternelles !

notes..

1. sphinx : dans la mythologie
égyptienne, c'est une créature formée
d'un corps de lion et d'une tête
d'homme. Chez les Grecs, il s'agit d'un
monstre qui a un corps de lion, des ailes,
une poitrine et une tête de femme. Selon
la mythologie grecque, le sphinx tue tous
ceux qui ne trouvent pas de solution à ses
énigmes.

2. attitudes : manières, conduite.
3. Variante de l'édition de 1861 : « *Que
j'ai l'air d'emprunter aux plus fiers
monuments,* ».
4. Variante de l'édition de 1861 : « *De
purs miroirs qui font toutes choses
belles :* ».

Charles Baudelaire

L'IDÉAL

Ce ne seront jamais ces beautés de vignettes[1],
Produits avariés[2], nés d'un siècle vaurien[3],
Ces pieds à brodequins[4], ces doigts à castagnettes[5],
Qui sauront satisfaire un cœur comme le mien.

5   Je laisse à Gavarni[6], poète des chloroses[7],
Son troupeau gazouillant de beautés d'hôpital ;
Car je ne puis trouver parmi ces pâles roses
Une fleur qui ressemble à mon rouge idéal.

Ce qu'il faut à ce cœur profond comme un abîme,
10   C'est vous, Lady Macbeth[8], âme puissante au crime,
Rêve d'Eschyle[9] éclos au climat des autans[10] ;

Ou bien toi, grande Nuit, fille de Michel-Ange[11],
Qui tors[12] paisiblement dans une pose étrange
Tes appas[13] façonnés aux bouches des Titans[14] !

notes

1. **beautés de vignettes :** vignettes insérées sur les pages de garde des livres d'époque, illustrant le visage de belles femmes.
2. **avariés :** abîmés, périssables.
3. **vaurien :** en général, se dit d'une personne qui n'a pas de morale. Ici, c'est le siècle qui « n'a pas de morale ».
4. **brodequins :** chaussures couvrant parfois jusqu'à la jambe. Ils sont utilisés dans le théâtre, par les acteurs de la comédie.
5. **castagnettes :** petit instrument de percussion fait de deux parties dures et creuses, en bois ou en ivoire.
6. **Gavarni :** Sulpice Guillaume Chevalier, dit Paul Gavarni. C'était un dessinateur parisien qui illustrait, de façon comique, la vie bourgeoise de la France du XIXe siècle. Baudelaire le considérait comme l'inventeur de la « lorette », c'est-à-dire une femme élégante dont la conduite laissait supposer une libération des mœurs, une certaine liberté.
7. **chloroses :** anémie qui entraîne une pâleur de la peau.
8. **Lady Macbeth :** personnage héros d'une tragédie de Shakespeare. Lady Macbeth convainc son époux, le roi Macbeth, de tuer son hôte, le roi d'Écosse, Duncan, pour le supplanter.
9. **Eschyle :** grand poète tragique et grec du VIe siècle av. J.-C.
10. **autans :** terme soutenu désignant des vents violents. Dans la périphrase « climat des autans », Baudelaire fait allusion aux vents violents en Écosse, que Shakespeare mentionne dans *Macbeth*.
11. **Michel-Ange :** Michelangelo Buonarroti (1475-1564), peintre italien de la Renaissance.
12. **tors :** forme archaïque du verbe *tordre*.
13. **appas :** charmes physiques.
14. **Titans :** personnages mythologiques, qui ont précédé Zeus et les autres dieux de l'Olympe.

LA CHEVELURE

Ô toison[1], moutonnant[2] jusque sur l'encolure[3]!
Ô boucles! Ô parfum chargé de nonchaloir[4]!
Extase! Pour peupler ce soir l'alcôve[5] obscure
Des souvenirs dormant dans cette chevelure,
5   Je la veux agiter dans l'air comme un mouchoir!

La langoureuse Asie et la brûlante Afrique,
Tout un monde lointain, absent, presque défunt,
Vit dans tes profondeurs, forêt aromatique!
Comme d'autres esprits voguent sur la musique,
10   Le mien, ô mon amour! nage sur ton parfum.

J'irai là-bas où l'arbre et l'homme, pleins de sève,
Se pâment longuement sous l'ardeur des climats;
Fortes tresses, soyez la houle[6] qui m'enlève!
Tu contiens, mer d'ébène[7], un éblouissant rêve
15   De voiles, de rameurs, de flammes et de mâts:

Un port retentissant où mon âme peut boire
À grands flots le parfum, le son et la couleur;
Où les vaisseaux, glissant dans l'or et dans la moire[8],
Ouvrent leurs vastes bras pour embrasser la gloire
20   D'un ciel pur où frémit l'éternelle chaleur.

---

notes

1. toison: chevelure abondante, aussi lainage des moutons.
2. moutonnant: qui évoque l'aspect frisé, moussant de la laine des moutons.
3. encolure: col.
4. nonchaloir: nonchalance, manque de vivacité.

5. alcôve: partie reculée d'un mur prévue pour recevoir un ou plusieurs lits.
6. houle: mouvement des vagues.
7. ébène: bois précieux, de couleur noire et dense.
8. moire: tissu brillant.

Je plongerai ma tête amoureuse d'ivresse
Dans ce noir océan où l'autre est enfermé ;
Et mon esprit subtil que le roulis[1] caresse
Saura vous retrouver, ô féconde paresse !
25   Infinis bercements du loisir embaumé !

Cheveux bleus, pavillon de ténèbres tendues,
Vous me rendez l'azur du ciel immense et rond ;
Sur les bords duvetés de vos mèches tordues
Je m'enivre[2] ardemment des senteurs confondues
30   De l'huile de coco, du musc[3] et du goudron[4].

Longtemps ! toujours ! ma main dans ta crinière[5] lourde
Sèmera le rubis[6], la perle et le saphir[7],
Afin qu'à mon désir tu ne sois jamais sourde !
N'es-tu pas l'oasis où je rêve, et la gourde[8]
35   Où je hume[9] à longs traits le vin du souvenir ?

notes

1. **roulis :** mouvement que fait un bateau en penchant d'un côté à l'autre.
2. **Je m'enivre :** je me saoule.
3. **musc :** parfum extrait à partir d'une substance sécrétée par les glandes abdominales d'un genre de cervidé.
4. **goudron :** substance visqueuse, obtenue par distillation du bois ou de la houille.
5. **crinière :** chevelure.
6. **rubis :** pierre précieuse de couleur rouge vif.
7. **saphir :** pierre précieuse de couleur bleue.
8. **gourde :** récipient, genre de bouteille incassable, facilement transportable.
9. **hume :** sens, respire l'odeur.

CHANT D'AUTOMNE

I

Bientôt nous plongerons dans les froides ténèbres ;
Adieu, vive clarté de nos étés trop courts !
J'entends déjà tomber avec des chocs funèbres
Le bois retentissant sur le pavé des cours.

5   Tout l'hiver va rentrer dans mon être : colère,
Haine, frissons, horreur, labeur dur et forcé,
Et, comme le soleil dans son enfer polaire,
Mon cœur ne sera plus qu'un bloc rouge et glacé.

J'écoute en frémissant chaque bûche qui tombe ;
10   L'échafaud[1] qu'on bâtit n'a pas d'écho plus sourd.
Mon esprit est pareil à la tour qui succombe
Sous les coups du bélier infatigable et lourd.

Il me semble, bercé par ce choc monotone,
Qu'on cloue en grande hâte un cercueil quelque part.
15   Pour qui ? — C'était hier l'été ; voici l'automne !
Ce bruit mystérieux sonne comme un départ.

II

J'aime de vos longs yeux la lumière verdâtre,
Douce beauté, mais tout aujourd'hui m'est amer,
Et rien, ni votre amour, ni le boudoir[2], ni l'âtre[3],
20   Ne me vaut le soleil rayonnant sur la mer.

notes

1. **échafaud** : lieu où l'on exécutait publiquement les condamnés à mort.
2. **boudoir** : pièce intime, adjacente à une chambre à coucher, où l'on recevait.
3. **âtre** : cheminée.

Et pourtant aimez-moi, tendre cœur! soyez mère
Même pour un ingrat, même pour un méchant;
Amante ou sœur, soyez la douceur éphémère[1]
D'un glorieux automne ou d'un soleil couchant.

25   Courte tâche! La tombe attend; elle est avide!
Ah! laissez-moi, mon front posé sur vos genoux,
Goûter, en regrettant l'été blanc et torride[2],
De l'arrière-saison le rayon jaune et doux!

notes

| **1. éphémère:** qui n'est pas éternelle, qui s'achèvera. | **2. torride:** intensément chaud. |

L'INVITATION AU VOYAGE

Mon enfant, ma sœur,
Songe à la douceur
D'aller là-bas vivre ensemble;
— Aimer à loisir,
5   Aimer et mourir
Au pays qui te ressemble!
Les soleils mouillés
De ces ciels brouillés
Pour mon esprit ont les charmes
10   Si mystérieux
De tes traîtres yeux,
Brillant à travers leurs larmes.

Là, tout n'est qu'ordre et beauté,
Luxe, calme et volupté[1].

15   Des meubles luisants,
Polis par les ans,
Décoreraient notre chambre;
Les plus rares fleurs
Mêlant leurs odeurs
20   Aux vagues senteurs de l'ambre[2],
Les riches plafonds,
Les miroirs profonds,
La splendeur orientale,
Tout y parlerait
25   À l'âme en secret
Sa douce langue natale.

notes

1. volupté: très grand plaisir.

2. ambre: parfum apprécié pour sa rareté. Il est extrait des concrétions intestinales des cachalots, rejetées dans la mer.

Là, tout n'est qu'ordre et beauté,
Luxe, calme et volupté.

Vois sur ces canaux
Dormir ces vaisseaux

Dont l'humeur est vagabonde ;

C'est pour assouvir
Ton moindre désir

Qu'ils viennent du bout du monde.

– Les soleils couchants
Revêtent les champs,

Les canaux, la ville entière,

D'hyacinthe[1] et d'or ;
– Le monde s'endort

Dans une chaude lumière.

Là, tout n'est qu'ordre et beauté,
Luxe, calme et volupté.

note

| **1. hyacinthe :** pierre précieuse rougeâtre.

L'HORLOGE

Horloge! dieu sinistre, effrayant, impassible,
Dont le doigt nous menace et nous dit: « *Souviens-toi!*
Les vibrantes Douleurs dans ton cœur plein d'effroi
Se planteront bientôt comme dans une cible;

5   Le Plaisir vaporeux fuira vers l'horizon
Ainsi qu'une sylphide[1] au fond de la coulisse;
Chaque instant te dévore un morceau du délice
À chaque homme accordé pour toute sa saison.

Trois mille six cents fois par heure, la Seconde
10   Chuchote: *Souviens-toi!* – Rapide, avec sa voix
D'insecte, Maintenant dit: Je suis Autrefois,
Et j'ai pompé ta vie avec ma trompe immonde!

Remember[2]! *Souviens-toi!* prodigue[3]! *Esto memor*[4]!
(Mon gosier[5] de métal parle toutes les langues.)
15   Les minutes, mortel folâtre[6], sont des gangues[7]
Qu'il ne faut pas lâcher sans en extraire l'or!

Souviens-toi que le Temps est un joueur avide
Qui gagne sans tricher, à tout coup! c'est la loi.
Le jour décroît; la nuit augmente; *souviens-toi!*
20   Le gouffre a toujours soif; la clepsydre[8] se vide.

---

notes

1. sylphide: dans les mythologies gauloise, celte et germanique, esprit des airs, symbole de beauté.
2. *Remember*: (anglais) souviens-toi.
3. prodigue: généreux.
4. *Esto memor*: (latin) souviens-toi.
5. gosier: partie intérieure de la gorge, qui fait référence à l'organe de la voix.
6. folâtre: enjoué.
7. gangues: substances stériles qui recouvrent certains minerais; au figuré, matières qui emprisonnent.
8. clepsydre: dans l'Antiquité, horloge fonctionnant par l'écoulement de l'eau.

Tantôt sonnera l'heure où le divin Hasard,
Où l'auguste[1] Vertu, ton épouse encor vierge,
Où le Repentir même (oh! la dernière auberge!),
Où tout te dira: Meurs, vieux lâche! il est trop tard!»

note ....

| **1. auguste**: digne.

UNE CHAROGNE[1]

Rappelez-vous l'objet que nous vîmes, mon âme,
  Ce beau matin d'été si doux :
Au détour d'un sentier une charogne infâme
  Sur un lit semé de cailloux,

5   Les jambes en l'air, comme une femme lubrique[2],
  Brûlante et suant les poisons,
Ouvrait d'une façon nonchalante et cynique
  Son ventre plein d'exhalaisons[3].

Le soleil rayonnait sur cette pourriture,
10   Comme afin de la cuire à point,
Et de rendre au centuple à la grande Nature
  Tout ce qu'ensemble elle avait joint.

Et le ciel regardait la carcasse superbe
  Comme une fleur, s'épanouir ;
15 — La puanteur était si forte que sur l'herbe
  Vous crûtes vous évanouir ; —

Les mouches bourdonnaient sur ce ventre putride[4],
  D'où sortaient de noirs bataillons
De larves qui coulaient comme un épais liquide
20   Le long de ces vivants haillons[5].

Tout cela descendait, montait comme une vague,
  Ou s'élançait en pétillant ;

notes..

1. **CHAROGNE** : cadavre d'animal.
2. **lubrique** : recherchant le plaisir sexuel.
3. **exhalaisons** : odeurs.

4. **putride** : en décomposition.
5. **haillons** : vieux vêtements déchirés.

On eût dit que le corps, enflé d'un souffle vague,
    Vivait en se multipliant.

25   Et ce monde rendait une étrange musique
    Comme l'eau courante et le vent,
Ou le grain qu'un vanneur[1] d'un mouvement rythmique
    Agite et tourne dans son van[2].

Les formes s'effaçaient et n'étaient plus qu'un rêve.
30   Une ébauche lente à venir,
Sur la toile oubliée, et que l'artiste achève
    Seulement par le souvenir.

Derrière les rochers une chienne inquiète
    Nous regardait d'un œil fâché,
35   Épiant le moment de reprendre au squelette
    Le morceau qu'elle avait lâché.

— Et pourtant vous serez semblable à cette ordure,
    À cette horrible infection,
Étoile de mes yeux, soleil de ma nature,
40   Vous, mon ange et ma passion!

Oui, telle vous serez, ô la reine des grâces,
    Après les derniers sacrements[3],
Quand vous irez sous l'herbe et les floraisons grasses
    Moisir parmi les ossements.

notes

1. vanneur: personne chargée de secouer le grain dans un panier pour le séparer de la paille et de la poussière.
2. van: panier en osier utilisé par le vanneur.

3. derniers sacrements: dans la religion catholique, sacrements que le prêtre administre à un mourant.

45   Alors, ô ma beauté, dites à la vermine
              Qui vous mangera de baisers
       Que j'ai gardé la forme et l'essence divine
              De mes amours décomposés !

Charles Baudelaire

LE CHAT

Viens, mon beau chat, sur mon cœur amoureux;
    Retiens les griffes de ta patte,
Et laisse-moi plonger dans tes beaux yeux
    Mêlés de métal et d'agate[1].

5   Lorsque mes doigts caressent à loisir
    Ta tête et ton dos élastique,
Et que ma main s'enivre[2] du plaisir
    De palper ton corps électrique,

Je vois ma femme en esprit; son regard,
10   Comme le tien, aimable bête,
Profond et froid, coupe et fend comme un dard,

    Et des pieds jusques à la tête,
Un air subtil, un dangereux parfum,
    Nagent autour de son corps brun.

notes

1. agate: pierre semi-précieuse, caractérisée par la succession de plusieurs couches de différentes couleurs.

2. s'enivre: est transportée par le plaisir ou ressent une vive émotion.

46

ALCHIMIE[1] DE LA DOULEUR

L'un t'éclaire avec son ardeur,
L'autre en toi met son deuil, Nature!
Ce qui dit à l'un : Sépulture!
Dit à l'autre : Vie et splendeur!

5 Hermès[2] inconnu qui m'assistes
Et qui toujours m'intimidas,
Tu me rends l'égal de Midas[3],
Le plus triste des alchimistes[4];

Par toi je change l'or en fer
10 Et le paradis en enfer;
Dans le suaire[5] des nuages

Je découvre un cadavre cher,
Et sur les célestes rivages
Je bâtis de grands sarcophages.

---

notes ....

1. ALCHIMIE : pratique du Moyen Âge, mêlant les sciences et l'ésotérisme, afin de découvrir les pouvoirs des éléments.
2. Hermès : divinité de la mythologie grecque, messager des dieux de l'Olympe.
3. Midas : héros mythologique de plusieurs légendes, dont une racontant qu'il reçut de Dionysos le pouvoir de transformer en or ce qu'il touchait. Cette légende inspira plusieurs alchimistes du Moyen Âge et de la Renaissance.
4. alchimistes : personnes qui pratiquent l'alchimie.
5. suaire : tissu dans lequel on ensevelit un mort.

Charles Baudelaire

HARMONIE DU SOIR

Voici venir les temps où vibrant sur sa tige
Chaque fleur s'évapore ainsi qu'un encensoir[1] ;
Les sons et les parfums tournent dans l'air du soir ;
— Valse mélancolique et langoureux vertige !

5 Chaque fleur s'évapore ainsi qu'un encensoir ;
Le violon frémit comme un cœur qu'on afflige ;
— Valse mélancolique et langoureux vertige !
Le ciel est triste et beau comme un grand reposoir[2].

Le violon frémit comme un cœur qu'on afflige,
10 Un cœur tendre, qui hait le néant vaste et noir !
— Le ciel est triste et beau comme un grand reposoir ;
Le soleil s'est noyé dans son sang qui se fige.

Un cœur tendre qui hait le néant vaste et noir
Du passé lumineux recueille tout vestige ;
15 — Le soleil s'est noyé dans son sang qui se fige ;
Ton souvenir en moi luit comme un ostensoir[3] !

notes

1. encensoir : objet utilisé lors de cérémonies religieuses pour brûler de l'encens.
2. reposoir : dans la religion catholique, autel où les prêtres déposent le Saint Sacrement.

3. ostensoir : dans la religion catholique, pièce d'orfèvrerie destinée à contenir l'hostie.

LE COUCHER DU SOLEIL ROMANTIQUE

Que le soleil est beau quand tout frais il se lève,
Comme une explosion nous lançant son bonjour !
– Bienheureux celui-là qui peut avec amour
Saluer son coucher plus glorieux qu'un rêve !

5   Je me souviens !… J'ai vu tout, fleur, source, sillon[1],
Se pâmer sous son œil comme un cœur qui palpite…
– Courons vers l'horizon, il est tard, courons vite,
Pour attraper au moins un oblique rayon !

Mais je poursuis en vain le Dieu qui se retire ;
10   L'irrésistible Nuit établit son empire,
Noire, humide, funeste et pleine de frissons ;

Une odeur de tombeau dans les ténèbres nage,
Et mon pied peureux froisse, au bord du marécage,
Des crapauds imprévus et de froids limaçons[2].

---

notes

| **1. sillon** : tranchée. | **2. limaçons** : escargots.

Charles Baudelaire

L'ÂME DU VIN

Un soir, l'âme du vin chantait dans les bouteilles :
– «Homme, vers toi je pousse, ô cher déshérité,
Sous ma prison de verre et mes cires vermeilles[1],
Un chant plein de lumière et de fraternité !

5   Je sais combien il faut, sur la colline en flamme,
De peine, de sueur et de soleil cuisant
Pour engendrer ma vie et pour me donner l'âme ;
Mais je ne serai point ingrat ni malfaisant,

Car j'éprouve une joie immense quand je tombe
10   Dans le gosier[2] d'un homme usé par ses travaux,
Et sa chaude poitrine est une douce tombe
Où je me plais bien mieux que dans mes froids caveaux.

Entends-tu retentir les refrains des dimanches
Et l'espoir qui gazouille en mon sein palpitant ?
15   Les coudes sur la table et retroussant tes manches,
Tu me glorifieras et tu seras content :

J'allumerai les yeux de ta femme ravie ;
À ton fils je rendrai sa force et ses couleurs
Et serai pour ce frêle athlète de la vie
20   L'huile qui raffermit les muscles des lutteurs.

notes

1. **vermeilles :** rouge vif.

2. **gosier :** partie intérieure de la gorge, qui fait référence à l'organe de la voix.

En toi je tomberai, végétale ambroisie[1],
Grain précieux jeté par l'éternel Semeur,
Pour que de notre amour naisse la poésie
Qui jaillira vers Dieu comme une rare fleur!»

---

note

| **1. ambroisie**: dans la mythologie grecque, nourriture des dieux.

Charles Baudelaire

LA MORT DES PAUVRES

C'est la Mort qui console et la Mort qui fait vivre[1] ;
C'est le but de la vie, et c'est le seul espoir
Qui, divin élixir[2], nous monte et nous enivre[3],
Et nous donne le cœur[4] de marcher jusqu'au soir ;

5 À travers la tempête, et la neige, et le givre,
C'est la clarté vibrante à notre horizon noir ;
C'est l'auberge fameuse inscrite sur le livre,
Où l'on pourra manger, et dormir et s'asseoir ;

C'est un Ange qui tient dans ses doigts magnétiques
10 Le sommeil et le don des rêves extatiques[5],
Et qui refait le lit des gens pauvres et nus ;

C'est la gloire des Dieux, c'est le grenier mystique,
C'est la bourse du pauvre et sa patrie antique,
C'est le portique ouvert sur les Cieux inconnus !

notes

1. Variante de l'édition de 1861 : « *C'est la mort qui console, hélas ! et qui fait vivre* ; ».
2. élixir : philtre aux propriétés magiques.

3. nous monte et nous enivre : nous monte à la tête et nous saoule.
4. donne le cœur : donne le courage.
5. extatiques : en extase.

Petits poèmes en prose: Le Spleen de Paris

PRÉSENTATION

Ce recueil posthume de poèmes en prose fut publié en 1869; Baudelaire aura consacré à son écriture les deux dernières années de sa vie. Ces *Petits poèmes en prose* souvent nommés par leur sous-titre, *Le Spleen de Paris*, mélangent les genres, s'éloignent de la forme traditionnelle du poème, mais restent attachés au langage métaphorique et imagé, propre à la poésie.

Charles Baudelaire

L'ÉTRANGER

– Qui aimes-tu le mieux, homme énigmatique,
dis ? ton père, ta mère, ta sœur ou ton frère ?
– Je n'ai ni père, ni mère, ni sœur, ni frère.
– Tes amis ?
5   – Vous vous servez là d'une parole dont le sens
m'est resté jusqu'à ce jour inconnu.
– Ta patrie ?
– J'ignore sous quelle latitude elle est située.
– La beauté ?
10   – Je l'aimerais volontiers, déesse et immortelle.
– L'or ?
– Je le hais comme vous haïssez Dieu.
– Eh ! qu'aimes-tu donc, extraordinaire étranger ?
– J'aime les nuages... les nuages qui passent...
15   là-bas... là-bas... les merveilleux nuages !

L'INVITATION AU VOYAGE

Il est un pays superbe, un pays de Cocagne[1], dit-on, que je rêve de visiter avec une vieille amie. Pays singulier, noyé dans les brumes de notre Nord, et qu'on pourrait appeler l'Orient de l'Occident, la Chine de l'Europe, tant la chaude et capricieuse fantaisie s'y est donné carrière, tant elle l'a patiemment et opiniâtrement[2] illustré de ses savantes et délicates végétations.

Un vrai pays de Cocagne, où tout est beau, riche, tranquille, honnête ; où le luxe a plaisir à se mirer[3] dans l'ordre ; où la vie est grasse et douce à respirer ; d'où le désordre, la turbulence et l'imprévu sont exclus ; où le bonheur est marié au silence ; où la cuisine elle-même est poétique, grasse et excitante à la fois ; où tout vous ressemble, mon cher ange.

Tu connais cette maladie fiévreuse qui s'empare de nous dans les froides misères, cette nostalgie du pays qu'on ignore, cette angoisse de la curiosité ? Il est une contrée[4] qui te ressemble, où tout est beau, riche, tranquille et honnête, où la fantaisie a bâti et décoré une Chine occidentale, où la vie est douce à respirer, où le bonheur est marié au silence. C'est là qu'il faut aller vivre, c'est là qu'il faut aller mourir !

Oui, c'est là qu'il faut aller respirer, rêver et allonger les heures par l'infini des sensations. Un musicien a écrit l'*Invitation à la valse* ; quel est celui qui composera l'*Invitation au voyage*, qu'on puisse offrir à la femme aimée, à la sœur d'élection ?

Oui, c'est dans cette atmosphère qu'il ferait bon vivre, – là-bas, où les heures plus lentes contiennent plus de pensées, où les horloges sonnent le bonheur avec une plus profonde et plus significative solennité.

notes

1. **pays de Cocagne :** endroit imaginaire, paradisiaque, caractérisé par l'abondance et le plaisir insouciant.

2. **opiniâtrement :** obstinément.
3. **se mirer :** se refléter.
4. **contrée :** pays.

Sur des panneaux luisants, ou sur des cuirs dorés et d'une richesse sombre, vivent discrètement des peintures béates[1], calmes et profondes, comme les âmes des artistes qui les créèrent.

30 Les soleils couchants, qui colorent si richement la salle à manger ou le salon, sont tamisés par de belles étoffes ou par ces hautes fenêtres ouvragées que le plomb divise en nombreux compartiments. Les meubles sont vastes, curieux, bizarres, armés de serrures et de secrets comme des âmes raffinées. Les miroirs, les

35 métaux, les étoffes, l'orfèvrerie[2] et la faïence[3] y jouent pour les yeux une symphonie muette et mystérieuse; et de toutes choses, de tous les coins, des fissures des tiroirs et des plis des étoffes s'échappe un parfum singulier, un revenez-y de Sumatra, qui est comme l'âme de l'appartement.

40 Un vrai pays de Cocagne, te dis-je, où tout est riche, propre et luisant, comme une belle conscience, comme une magnifique batterie de cuisine, comme une splendide orfèvrerie, comme une bijouterie bariolée[4]! Les trésors du monde y affluent, comme dans la maison d'un homme laborieux et qui a bien mérité du monde

45 entier. Pays singulier, supérieur aux autres, comme l'Art l'est à la Nature, où celle-ci est réformée par le rêve, où elle est corrigée, embellie, refondue.

Qu'ils cherchent, qu'ils cherchent encore, qu'ils reculent sans cesse les limites de leur bonheur, ces alchimistes[5] de l'horticulture[6]!

50 Qu'ils proposent des prix de soixante et de cent mille florins pour qui résoudra leurs ambitieux problèmes! Moi, j'ai trouvé ma tulipe noire et mon *dahlia*[7] *bleu*!

notes

1. **béates**: splendides.
2. **orfèvrerie**: ensemble des objets fabriqués à partir de métaux précieux.
3. **faïence**: céramique.
4. **bariolée**: de plusieurs couleurs mal agencées.
5. **alchimistes**: personnes qui, au Moyen Âge, mêlaient les sciences et l'ésotérisme

afin de découvrir les pouvoirs des éléments.
6. **horticulture**: culture des plantes et jardinage.
7. *dahlia*: fleur ornementale pouvant prendre plusieurs couleurs.

Fleur incomparable, tulipe retrouvée, allégorique[1] dahlia, c'est là, n'est-ce pas, dans ce beau pays si calme et si rêveur, qu'il faudrait aller vivre et fleurir ? Ne serais-tu pas encadrée dans ton analogie, et ne pourrais-tu pas te mirer[2], pour parler comme les mystiques, dans ta propre correspondance ?

Des rêves ! toujours des rêves ! et plus l'âme est ambitieuse et délicate, plus les rêves l'éloignent du possible. Chaque homme porte en lui sa dose d'opium naturel, incessamment sécrétée et renouvelée, et, de la naissance à la mort, combien comptons-nous d'heures remplies par la jouissance positive, par l'action réussie et décidée ? Vivrons-nous jamais, passerons-nous jamais dans ce tableau qu'a peint mon esprit, ce tableau qui te ressemble ?

Ces trésors, ces meubles, ce luxe, cet ordre, ces parfums, ces fleurs miraculeuses, c'est toi. C'est encore toi, ces grands fleuves et ces canaux tranquilles. Ces énormes navires qu'ils charrient, tout chargés de richesses, et d'où montent les chants monotones de la manœuvre, ce sont mes pensées qui dorment ou qui roulent sur ton sein. Tu les conduis doucement vers la mer qui est l'Infini, tout en réfléchissant les profondeurs du ciel dans la limpidité[3] de ta belle âme ; – et quand, fatigués par la houle[4] et gorgés des produits de l'Orient, ils rentrent au port natal, ce sont encore mes pensées enrichies qui reviennent de l'Infini vers toi.

notes

1. allégorique : qui représente une idée abstraite par une métaphore symbolique.
2. te mirer : te regarder.

3. limpidité : clarté.
4. houle : mouvement des vagues.

Charles Baudelaire

ENIVREZ-VOUS[1]

Il faut être toujours ivre. Tout est là : c'est l'unique question. Pour ne pas sentir l'horrible fardeau du Temps qui brise vos épaules et vous penche vers la terre, il faut vous enivrer sans trêve[2].

Mais de quoi ? De vin, de poésie ou de vertu, à votre guise[3].
Mais enivrez-vous !

Et si quelquefois, sur les marches d'un palais, sur l'herbe verte d'un fossé, dans la solitude morne[4] de votre chambre, vous vous réveillez, l'ivresse déjà diminuée ou disparue, demandez au vent, à la vague, à l'étoile, à l'oiseau, à l'horloge, à tout ce qui fuit, à tout ce qui gémit, à tout ce qui roule, à tout ce qui chante, à tout ce qui parle, demandez quelle heure il est ; et le vent, la vague, l'étoile, l'oiseau, l'horloge, vous répondront : « Il est l'heure de s'enivrer ! Pour n'être pas les esclaves martyrisés du Temps, enivrez-vous ; enivrez-vous sans cesse ! De vin, de poésie, de vertu, à votre guise. »

notes

1. ENIVREZ-VOUS : saoulez-vous.
2. sans trêve : sans arrêt.

3. à votre guise : comme vous voulez.
4. morne : ennuyeuse, triste.

Paul Verlaine

Paul Verlaine est passé à la postérité comme le poète de la sensualité, celui qui a développé une musique du vers personnelle, ce qui contraste avec le tour souvent tragique qu'a pris son existence, marquée par des passions orageuses, des crises religieuses intenses et une consommation d'alcool qui raccourcira significativement sa vie. Verlaine, fils d'un militaire à la retraite, n'avait que six ans quand son père décide d'installer sa famille à Paris. Inscrit en droit, il renonce à poursuivre ses études, plutôt attiré qu'il est par les Lettres. Il se contentera toute sa vie d'emplois subalternes et, ainsi, se trouvera souvent à court de ressources. Fervent admirateur de Baudelaire, il publie à vingt-deux ans un premier recueil inspiré du symbolisme de son maître, *Poèmes saturniens*, puis, trois ans plus tard, *Fêtes galantes*, qu'il écrit après sa découverte des peintures du XVIIIe siècle (particulièrement celles de Watteau*), récemment exposées dans les nouvelles salles du Louvre. Il se marie en 1869, mais les décès successifs de son père puis de sa cousine adorée (que la famille Verlaine avait adoptée) l'ayant beaucoup affecté et amené à boire plus que de raison rendent son mariage particulièrement chaotique.

Sa rencontre avec Rimbaud chamboule sa vie, tant sur le plan humain que littéraire. Verlaine développe pour ce jeune homme une grande passion, qui le mènera à vivre une existence marquée par les excès et le scandale, et dont le point culminant sera une altercation violente avec lui, ce qui le mènera en prison. Cet épisode déclenche chez Verlaine une crise religieuse majeure, qui le pousse à se convertir temporairement à un catholicisme mystique, ce dont témoigne le livre *Sagesse* (1880). Il publie en 1884 un exposé remarqué, consacré à ceux que l'on nomme *les poètes maudits*, et

*: *Cf.* Glossaire

dans lequel il montre notamment toute l'admiration qu'il a pour le talent de Rimbaud. Détruit par l'alcool, devenu presque un clochard, il vivra les dernières années de sa vie dans la misère. Il meurt en 1896, à l'âge de cinquante et un ans.

Mezzetin **par Antoine Watteau (1684-1721).**
L'œuvre de Watteau est apprécié de Verlaine et lui a servi
d'inspiration pour son recueil *Fêtes galantes*.

Jadis et naguère

PRÉSENTATION

Ce volume original du poète couvre près de vingt ans d'activités littéraires et jette un regard rétrospectif sur ses recueils précédents, qu'il complète de belle façon. Jusque-là plus réservé dans sa manière et dans ses thèmes, Verlaine propose dans cette œuvre des poèmes qui forcent la reconnaissance de ses pairs et des lecteurs. « Art poétique », publié pour la première fois dans *Jadis et naguère*, contribuera à faire de Verlaine un des maîtres du mouvement symboliste.

ART POÉTIQUE

De la musique avant toute chose,
Et pour cela préfère l'Impair
Plus vague et plus soluble dans l'air,
Sans rien en lui qui pèse ou qui pose.

5   Il faut aussi que tu n'ailles point
Choisir tes mots sans quelque méprise :
Rien de plus cher que la chanson grise
Où l'Indécis au Précis se joint.

C'est des beaux yeux derrière des voiles,
10   C'est le grand jour tremblant de midi,
C'est, par un ciel d'automne attiédi,
Le bleu fouillis des claires étoiles !

Car nous voulons la Nuance encor,
Pas la Couleur, rien que la nuance !
15   Oh ! la nuance seule fiance
Le rêve au rêve et la flûte au cor !

Fuis du plus loin la Pointe assassine,
L'Esprit cruel et le Rire impur,
Qui font pleurer les yeux de l'Azur,
20   Et tout cet ail de basse cuisine !

Prends l'éloquence et tords-lui son cou !
Tu feras bien, en train d'énergie,
De rendre un peu la Rime assagie.
Si l'on n'y veille, elle ira jusqu'où ?

25   Ô qui dira les torts de la Rime?
     Quel enfant sourd ou quel nègre fou
     Nous a forgé ce bijou d'un sou
     Qui sonne creux et faux sous la lime?

     De la musique encore et toujours!
30   Que ton vers soit la chose envolée
     Qu'on sent qui fuit d'une âme en allée
     Vers d'autres cieux à d'autres amours.

     Que ton vers soit la bonne aventure
     Éparse au vent crispé du matin
35   Qui va fleurant[1] la menthe et le thym...
     Et tout le reste est littérature.

note ....

| **1. fleurant:** répandant une odeur agréable.

Poèmes saturniens

PRÉSENTATION

Recueil de poésie aux échos parnassiens, *Poèmes saturniens*, le premier de Paul Verlaine, a été publié en 1866. Tissée d'une poésie élaborée et impassible dont la forme est rigoureuse, cette œuvre révèle cependant les traits dominants de l'esthétique verlainienne, maniant avec brio l'alexandrin* et les vers impairs.

* : *Cf.* Glossaire

Paul Verlaine

NEVERMORE

Souvenir, souvenir, que me veux-tu? L'automne
Faisait voler la grive[1] à travers l'air atone[2],
Et le soleil dardait[3] un rayon monotone
Sur le bois jaunissant où la bise[4] détone.

5 Nous étions seul à seule et marchions en rêvant,
Elle et moi, les cheveux et la pensée au vent.
Soudain, tournant vers moi son regard émouvant:
«Quel fut ton plus beau jour?» fit sa voix d'or vivant,

Sa voix douce et sonore, au frais timbre angélique.
10 Un sourire discret lui donna la réplique,
Et je baisai sa main blanche, dévotement[5].

– Ah! les premières fleurs, qu'elles sont parfumées!
Et qu'il bruit avec un murmure charmant
Le premier *oui* qui sort les lèvres bien-aimées!

notes

1. grive: oiseau.
2. atone: sans énergie.
3. dardait: envoyait.
4. bise: vent sec et froid.
5. dévotement: avec ferveur, avec adoration.

MON RÊVE FAMILIER

Je fais souvent ce rêve étrange et pénétrant
D'une femme inconnue, et que j'aime, et qui m'aime
Et qui n'est, chaque fois, ni tout à fait la même
Ni tout à fait une autre, et m'aime et me comprend.

5   Car elle me comprend, et mon cœur, transparent
Pour elle seule, hélas! cesse d'être un problème
Pour elle seule, et les moiteurs[1] de mon front blême,
Elle seule les sait rafraîchir, en pleurant.

Est-elle brune, blonde ou rousse? – Je l'ignore.
10   Son nom? Je me souviens qu'il est doux et sonore
Comme ceux des aimés que la Vie exila.

Son regard est pareil au regard des statues,
Et, pour sa voix, lointaine, et calme, et grave, elle a
L'inflexion des voix chères qui se sont tues.

note ....

| **1. moiteurs:** sueurs qui rendent la peau moite.

Paul Verlaine

À UNE FEMME

A vous ces vers de par la grâce[1] consolante
De vos grands yeux où rit et pleure un rêve doux,
De par votre âme pure et toute bonne, à vous
Ces vers du fond de ma détresse violente.

5   C'est qu'hélas! le hideux[2] cauchemar qui me hante
N'a pas de trêve et va furieux, fou, jaloux,
Se multipliant comme un cortège[3] de loups
Et se pendant après mon sort qu'il ensanglante!

Oh! je souffre, je souffre affreusement, si bien
10 Que le gémissement premier du premier homme
Chassé d'Éden[4] n'est qu'une églogue[5] au prix du mien!

Et les soucis que vous pouvez avoir sont comme
Des hirondelles sur un ciel d'après-midi,
– Chère, – par un beau jour de septembre attiédi.

CHANSON D'AUTOMNE

Les sanglots longs
Des violons
    De l'automne
Blessent mon cœur
5 D'une langueur
    Monotone.

Tout suffocant
Et blême, quand
    Sonne l'heure,
10 Je me souviens
Des jours anciens
    Et je pleure;

Et je m'en vais
Au vent mauvais
15   Qui m'emporte
Deçà, delà,
Pareil à la
    Feuille morte.

Paul Verlaine

SOLEILS COUCHANTS

Une aube[1] affaiblie
Verse par les champs
La mélancolie[2]
Des soleils couchants.
5   La mélancolie
Berce de doux chants
Mon cœur qui s'oublie
Aux soleils couchants.
Et d'étranges rêves,
10   Comme des soleils
Couchants sur les grèves[3],
Fantômes vermeils[4],
Défilent sans trêves[5],
Défilent, pareils
15   À des grands soleils
Couchants sur les grèves.

notes

1. **aube :** moment du lever du soleil.
2. **mélancolie :** sentiment de tristesse, de langueur.
3. **grèves :** le bord de la mer.
4. **vermeils :** rouge vif.
5. **sans trêves :** sans arrêts.

Romances sans paroles

PRÉSENTATION

Romances sans paroles affirme la primauté de la musique dans l'écriture de Verlaine, de par son titre inspiré par le compositeur romantique allemand Mendelssohn. Court recueil de poésie, *Romances sans paroles* paraît en 1874, lorsque Verlaine est en prison pour avoir tiré sur Rimbaud. Considéré comme l'un des chefs-d'œuvre verlainiens, ce recueil rompt avec l'esthétique du Parnasse, se réclamant plutôt des courants impressionniste* et symboliste chers au poète.

* : *Cf.* Glossaire

Paul Verlaine

ARIETTES OUBLIÉES

I

C'est l'extase langoureuse,
C'est la fatigue amoureuse,
C'est tous les frissons des bois
Parmi l'étreinte des brises,
5 C'est, vers les ramures grises,
Le chœur des petites voix.

Ô le frêle[1] et frais murmure!
Cela gazouille et susurre,
Cela ressemble au cri doux
10 Que l'herbe agitée expire…
Tu dirais, sous l'eau qui vire,
Le roulis[2] sourd des cailloux.

Cette âme qui se lamente
En cette plainte dormante
15 C'est la nôtre, n'est-ce pas?
La mienne, dis, et la tienne,
Dont s'exhale l'humble antienne[3]
Par ce tiède soir, tout bas?

notes

1. frêle : qui paraît fragile.
2. roulis : mouvement que fait un bateau en penchant d'un côté à l'autre.

3. antienne : partie chantée et répétée par le chœur avant et après un psaume.

ARIETTES OUBLIÉES

III

Il pleure dans mon cœur
Comme il pleut sur la ville ;
Quelle est cette langueur
Qui pénètre mon cœur ?

5   Ô bruit doux de la pluie
Par terre et sur les toits !
Pour un cœur qui s'ennuie
Ô le chant de la pluie !

Il pleure sans raison
10   Dans ce cœur qui s'écœure.
Quoi ! nulle trahison ?...
Ce deuil est sans raison.

C'est bien la pire peine
De ne savoir pourquoi
15   Sans amour et sans haine
Mon cœur a tant de peine !

Paul Verlaine

WALCOURT

Briques et tuiles,
Ô les charmants
Petits asiles
Pour les amants!

5   Houblons[1] et vignes,
Feuilles et fleurs,
Tentes insignes[2]
Des francs buveurs[3]!

Guinguettes[4] claires,
10   Bières, clameurs,
Servantes chères
À tous fumeurs!

Gares prochaines,
Gais chemins grands…
15   Quelles aubaines,
Bons juifs-errants[5]!

SPLEEN

Les roses étaient toutes rouges
Et les lierres[1] étaient tout noirs.

Chère, pour peu que tu te bouges,
Renaissent tous mes désespoirs.

5   Le ciel était trop bleu, trop tendre,
La mer trop verte et l'air trop doux.

Je crains toujours, – ce qu'est d'attendre ! –
Quelque fuite atroce de vous.

Du houx[2] à la feuille vernie
10 Et du luisant buis[3] je suis las[4],

Et de la campagne infinie
Et de tout, fors[5] de vous, hélas !

---

notes

1. lierres : plantes grimpantes qui se fixent aux parois.
2. houx : arbuste à feuilles épineuses utilisé dans les décorations de Noël.

3. buis : petit arbre à feuilles persistantes. Son bois est utilisé en sculpture pour sa densité et sa dureté.
4. las : profondément fatigué, exaspéré.
5. fors : sauf, excepté.

Fêtes galantes

PRÉSENTATION

Second recueil constitué de vingt-deux poèmes courts, *Fêtes galantes* est publié en 1869 et s'inspire des peintres du XVIIIe siècle tels que Watteau, ou de la *commedia dell'arte**. Les poèmes évoquent ainsi les plaisirs et la sensualité d'une société élégante et frivole. Composés de vers brefs, incluant des archaïsmes* et des tournures familières, ils suggèrent une vivacité et une légèreté propres à un siècle révolu. Le recueil s'ouvre sous le signe de la musique avec *Clair de lune* et s'achève douloureusement avec *Le colloque sentimental*.

*: *Cf.* Glossaire

Fêtes galantes

CLAIR DE LUNE

Votre âme est un paysage choisi
Que vont charmant masques et bergamasques[1]
Jouant du luth[2] et dansant et quasi
Tristes sous leurs déguisements fantasques[3].

5   Tout en chantant sur le mode mineur
L'amour vainqueur et la vie opportune[4],
Ils n'ont pas l'air de croire à leur bonheur
Et leur chanson se mêle au clair de lune,

Au calme clair de lune triste et beau,
10   Qui fait rêver les oiseaux dans les arbres
Et sangloter d'extase les jets d'eau,
Les grands jets d'eau sveltes[5] parmi les marbres[6].

---

notes

1. bergamasques : danses de la province de Bergame, en Italie.
2. luth : instrument à cordes très utilisé pendant la période baroque.
3. fantasques : bizarres, extravagants.

4. opportune : qui arrive au bon moment.
5. sveltes : légers et élancés.
6. marbres : ici, on fait allusion aux statues de marbre.

Arthur Rimbaud

Génie précoce à la carrière aussi brève que fulgurante, Arthur Rimbaud arrête d'écrire à vingt et un ans pour des raisons restées largement énigmatiques. Sa vie est un incroyable roman, dont on n'a pas fini de percer les nombreux mystères, et son œuvre poétique, un phénomène littéraire unique. Élève particulièrement doué, il compose à treize ans des vers en latin qui le font remarquer de ses professeurs au Lycée de Charleville. Le jeune Arthur souffre pourtant du cadre rigide imposé par sa mère et rêve de «monter à Paris», ce qu'il fait pour la première fois à quinze ans, puis à de nombreuses reprises ensuite, multipliant les fugues et les rencontres impromptues qui nourriront sa légende. La plus décisive de ces rencontres, qui se transformera vite en liaison passionnée, est celle du poète Paul Verlaine, de dix ans son aîné, qui l'exhorte à le rejoindre dans une lettre de 1871 : «Venez, chère grande âme, on vous appelle, on vous attend.» Les deux hommes vivront par la suite une existence bohème et dissolue sur les routes de France, d'Angleterre et de Belgique, avant que ne survienne leur célèbre querelle, à l'occasion de laquelle Rimbaud sera blessé par balle à la main et Verlaine, condamné à deux ans de prison pour cet assaut.

C'est au terme de cette «saison en enfer» que Rimbaud écrira ses textes les plus innovateurs et les plus inspirés (*Une saison en enfer*, justement, puis *Les illuminations*), mélangeant prose et vers en des élans de création fiévreuse, dont on a souvent dit qu'ils représentaient le creuset de la poésie moderne. Expliquant dans une lettre à l'un de ses professeurs que le poète doit se faire voyant*, et «arriver à l'inconnu par un dérèglement de tous les sens», il prolonge la révolution du langage amorcée par Baudelaire et lui

Voyant

Celui ou celle (voyante) qui a le don de voir des événements se déroulant ailleurs, ou même dans le passé ou le futur.

*: *Cf. Glossaire*

donne un tour quasi mystique en affirmant sa nature fortement synesthésique. Cette plongée au plus profond de ses propres ressources le laissera sans voix, puisqu'il cesse alors d'écrire et consacre le reste de ses jours à une vie d'aventures, d'abord en Europe, puis en Afrique, où il se fera même marchand d'armes. Connu d'un petit cercle de poètes et d'amateurs lorsqu'il meurt en 1891, ce sont les surréalistes et, en tête de liste, André Breton – celui-ci juge l'œuvre de Rimbaud « considérable » – qui contribueront à sa renaissance et à son exceptionnelle notoriété.

Poésies

PRÉSENTATION

Regroupant vingt-deux poèmes écrits par Rimbaud entre 1870 et 1871, le recueil intitulé *Poésies* illustre les évolutions stylistiques et psychologiques du jeune poète. En effet, Rimbaud y utilise souvent l'alexandrin, respecte la rime* et privilégie le sonnet. Toutefois, influencé par certains auteurs comme Hugo* ou De Musset*, Rimbaud compose des poèmes riches en réminiscences* et en références littéraires qui témoignent de l'influence de ces derniers sur lui. Il s'essaie également à briser la régularité des vers, en jouant notamment avec les rejets* et les enjambements*. C'est donc un recueil qui signale dès lors l'avènement d'une forte personnalité littéraire, capable d'assimiler la tradition, mais également de s'en distancier.

* : *Cf.* Glossaire

VOYELLES

A noir, E blanc, I rouge, U vert, O bleu : voyelles,
Je dirai quelque jour vos naissances latentes[1] :
A, noir corset[2] velu[3] des mouches éclatantes
Qui bombinent[4] autour des puanteurs cruelles,

5   Golfes[5] d'ombre ; E, candeurs des vapeurs et des tentes ;
Lances des glaciers fiers, rois blancs, frissons d'ombelles[6] ;
I, pourpres, sang craché, rire des lèvres belles
Dans la colère ou les ivresses pénitentes ;

U, cycles, vibrements divins des mers virides[7],
10   Paix des pâtis[8] semés d'animaux, paix des rides
Que l'alchimie[9] imprime aux grands fronts studieux,

O, suprême Clairon[10] plein des strideurs[11] étranges,
Silences traversés des Mondes et des Anges :
– O l'Oméga, rayon violet de Ses Yeux !

notes

1. **latentes** : potentielles.
2. **corset** : sous-vêtement lacé féminin qui soutient la poitrine.
3. **velu** : poilu.
4. **bombinent** : bourdonnent.
5. **Golfes** : larges bassins d'eau qui s'avancent de la mer vers les terres.
6. **ombelles** : façon dont sont disposées des fleurs partant du même point sur une tige.
7. **virides** : vert émeraude.
8. **pâtis** : terres qui ne sont pas cultivées, où va paître le bétail.
9. **alchimie** : pratique du Moyen Âge mêlant les sciences et l'ésotérisme, afin de découvrir les pouvoirs des éléments.
10. **Clairon** : instrument à vent de la famille des cuivres, souvent associé à la musique militaire.
11. **strideurs** : de *strident*, bruit fort et aigu.

Arthur Rimbaud

LES POÈTES DE SEPT ANS

Et la Mère, fermant le livre du devoir[1],
S'en allait satisfaite et très fière, sans voir,
Dans les yeux bleus et sous le front plein d'éminences,
L'âme de son enfant livrée aux répugnances.

5   Tout le jour il suait d'obéissance ; très
Intelligent ; pourtant des tics noirs, quelques traits,
Semblaient prouver en lui d'âcres hypocrisies.
Dans l'ombre des couloirs aux tentures[2] moisies,
En passant il tirait la langue, les deux poings
10   À l'aine, et dans ses yeux fermés voyait des points.
Une porte s'ouvrait sur le soir ; à la lampe
On le voyait, là-haut, qui râlait sur la rampe,
Sous un golfe de jour pendant du toit. L'été
Surtout, vaincu, stupide, il était entêté
15   À se renfermer dans la fraîcheur des latrines[3] :
Il pensait là, tranquille et livrant ses narines.

Quand, lavé des odeurs du jour, le jardinet[4]
Derrière la maison, en hiver, s'illunait[5],
Gisant au pied d'un mur, enterré dans la marne[6]
20   Et pour des visions écrasant son œil darne[7],
Il écoutait grouiller les galeux[8] espaliers[9].
Pitié ! Ces enfants seuls étaient ses familiers

notes

1. **le livre du devoir :** la Bible.
2. **tentures :** morceaux de papier ou de tissus servant à décorer les murs.
3. **latrines :** toilettes.
4. **jardinet :** petit jardin.
5. **s'illunait :** était baigné de la lumière de la Lune.
6. **marne :** engrais composé d'un mélange naturel d'argile et de calcaire.
7. **darne :** ébloui.
8. **galeux :** qui ont la gale, maladie qui s'apparente à la lèpre.
9. **espaliers :** rameurs à l'arrière d'une galère. La galère était un bateau sur lequel plusieurs prisonniers purgeaient leur peine en ramant.

Qui, chétifs, fronts nus, œil déteignant sur la joue,
Cachant de maigres doigts jaunes et noirs de boue
Sous des habits puant la foire[1] et tout vieillots,
Conversaient avec la douceur des idiots !
Et si, l'ayant surpris à des pitiés immondes[2],
Sa mère s'effrayait ; les tendresses profondes
De l'enfant se jetaient sur cet étonnement.
C'était bon. Elle avait le bleu regard, – qui ment !

À sept ans, il faisait des romans sur la vie
Du grand désert, où luit la Liberté ravie,
Forêts, soleils, rives, savanes ! – Il s'aidait
De journaux illustrés où, rouge, il regardait
Des Espagnoles rire et des Italiennes.
Quand venait, l'œil brun, folle, en robes d'indiennes,
– Huit ans, – la fille des ouvriers d'à côté,
La petite brutale, et qu'elle avait sauté,
Dans un coin, sur son dos, en secouant ses tresses,
Et qu'il était sous elle, il lui mordait les fesses,
Car elle ne portait jamais de pantalons ;
– Et, par elle meurtri des poings et des talons
Remportait les saveurs de sa peau dans sa chambre.

Il craignait les blafards[3] dimanches de décembre,
Où, pommadé[4], sur un guéridon[5] d'acajou[6],
Il lisait une Bible à la tranche[7] vert-chou ;
Des rêves l'oppressaient chaque nuit dans l'alcôve.
Il n'aimait pas Dieu ; mais les hommes, qu'au soir fauve,

25

30

35

40

45

notes

1. **foire** : dans le sens d'excréments, de diarrhée.
2. **immondes** : répugnantes.
3. **blafards** : d'une teinte pâle et terne.
4. **pommadé** : enduit de pommade, d'onguent.
5. **guéridon** : petite table semblable à un tabouret.
6. **acajou** : bois rougeâtre.
7. **tranche** : partie d'un livre opposé à l'épine.

Arthur Rimbaud

Noirs, en blouse, il voyait rentrer dans le faubourg
50 Où les crieurs, en trois roulements de tambour,
Font autour des édits rire et gronder les foules.
— Il rêvait la prairie amoureuse, où des houles[1]
Lumineuses, parfums sains, pubescence[2] d'or,
Font leur remuement calme et prennent leur essor !

55 Et comme il savourait surtout les sombres choses,
Quand, dans la chambre nue aux persiennes[3] closes,
Haute et bleue, âcrement prise d'humidité,
Il lisait son roman sans cesse médité,
Plein de lourds ciels[4] ocreux[5] et de forêts noyées,
60 De fleurs de chair aux bois sidérals[6] déployées,
Vertige, écroulements, déroutes et pitié !
— Tandis que se faisait la rumeur du quartier,
En bas, — seul, et couché sur des pièces de toile
Écrue, et pressentant violemment la voile !

LE BATEAU IVRE

Comme je[1] descendais des Fleuves impassibles,
Je ne me sentis plus guidé par les haleurs[2] :
Des Peaux-rouges[3] criards les avaient pris pour cibles
Les ayant cloués nus aux poteaux de couleurs.

5   J'étais insoucieux de tous les équipages,
Porteur de blés flamands ou de cotons anglais.
Quand avec mes haleurs ont fini ces tapages[4]
Les Fleuves m'ont laissé descendre où je voulais.

Dans les clapotements furieux des marées,
10   Moi, l'autre hiver, plus sourd que les cerveaux d'enfants,
Je courus ! Et les Péninsules[5] démarrées[6]
N'ont pas subi tohu-bohus plus triomphants.

La tempête a béni mes éveils maritimes.
Plus léger qu'un bouchon j'ai dansé sur les flots
15   Qu'on appelle rouleurs éternels de victimes,
Dix nuits, sans regretter l'œil niais des falots !

Plus douce qu'aux enfants la chair des pommes sures
L'eau verte pénétra ma coque de sapin
Et des taches de vins bleus et des vomissures
20   Me lava, dispersant gouvernail et grappin[7].

Et dès lors, je me suis baigné dans le Poème
De la Mer, infusé d'astres, et lactescent[8],

---

notes

1. **je** : le bateau est le narrateur.
2. **haleurs** : ceux qui tirent les cordages d'un bateau pour l'amener au quai.
3. **Peaux-Rouges** : Amérindiens (péjoratif).
4. **tapages** : bruits et désordre.
5. **Péninsules** : presqu'îles.
6. **démarrées** : qui n'ont plus d'amarres, de cordes.
7. **grappin** : petite ancre d'un bateau.
8. **lactescent** : qui ressemble à du lait.

Dévorant les azurs verts; où, flottaison blême
Et ravie, un noyé pensif parfois descend;

25 Où, teignant tout à coup les bleuités[1], délires
Et rythmes lents sous les rutilements du jour,
Plus fortes que l'alcool, plus vastes que nos lyres[2],
Fermentent les rousseurs amères de l'amour!

Je sais les cieux crevant en éclairs, et les trombes
30 Et les ressacs et les courants: je sais le soir,
L'Aube exaltée ainsi qu'un peuple de colombes,
Et j'ai vu quelquefois ce que l'homme a cru voir.

J'ai vu le soleil bas, taché d'horreurs mystiques,
Illuminant de longs figements[3] violets,
35 Pareils à des acteurs de drames très antiques
Les flots roulant au loin leurs frissons de volets!

J'ai rêvé la nuit verte aux neiges éblouies,
Baisers montant aux yeux des mers avec lenteur,
La circulation des sèves inouïes,
40 Et l'éveil jaune et bleu des phosphores chanteurs!

J'ai suivi, des mois pleins, pareille aux vacheries
Hystériques, la houle[4] à l'assaut des récifs,
Sans songer que les pieds lumineux des Maries[5]
Pussent forcer le mufle[6] aux Océans poussifs!

---

notes

1. **bleuités:** ce qui est bleu.
2. **lyres:** instruments à cordes pincées;
la lyre est le symbole de la poésie.
3. **figements:** ce qui est figé.

4. **houle:** mouvement des vagues.
5. **Maries:** statues de la Vierge Marie.
6. **mufle:** museau de certains animaux;
aussi homme grossier.

45 J'ai heurté, savez-vous, d'incroyables Florides
   Mêlant aux fleurs des yeux de panthères à peaux
   D'hommes ! Des arcs-en-ciel tendus comme des brides
   Sous l'horizon des mers, à de glauques[1] troupeaux !

   J'ai vu fermenter les marais énormes, nasses[2]
50 Où pourrit dans les joncs[3] tout un Léviathan[4] !
   Des écroulements d'eaux au milieu des bonaces[5]
   Et les lointains vers les gouffres cataractant[6] !

   Glaciers, soleils d'argent, flots nacreux[7], cieux de braises,
   Échouages[8] hideux[9] au fond des golfes bruns
55 Où les serpents géants dévorés des punaises
   Choient[10] des arbres tordus, avec de noirs parfums !

   J'aurais voulu montrer aux enfants ces dorades
   Du flot bleu, ces poissons d'or, ces poissons chantants.
   – Des écumes de fleurs ont bercé mes dérades[11]
60 Et d'ineffables[12] vents m'ont ailé[13] par instants.

   Parfois, martyr lassé des pôles et des zones,
   La mer dont le sanglot faisait mon roulis[14] doux
   Montait vers moi ses fleurs d'ombre aux ventouses
                                              [jaunes

notes

1. **glauques :** sinistres.
2. **nasses :** paniers qui ressemblent à une bouteille, avec un goulot.
3. **joncs :** plantes longues et minces qui poussent dans les milieux humides.
4. **Léviathan :** dans la mythologie phénicienne, monstre marin qui symbolise, dans la Bible, la croyance des païens à plusieurs dieux.
5. **bonaces :** mers très calmes.
6. **cataractant :** qui tombent comme des chutes.
7. **nacreux :** brillants comme le nacre.
8. **Échouages :** le fait de jeter un navire, une embarcation, sur le rivage, sur un haut-fond et de l'y immobiliser.
9. **hideux :** affreux, très laids.
10. **Choient :** tombent.
11. **dérades :** dérives.
12. **ineffables :** qui ne peut se traduire par des mots.
13. **m'ont ailé :** m'ont donné des ailes.
14. **roulis :** mouvement que fait un bateau en penchant d'un côté à l'autre.

65 Et je restais, ainsi qu'une femme à genoux…

Presque île, ballottant sur mes bords les querelles
Et les fientes[1] d'oiseaux clabaudeurs[2] aux yeux blonds,
Et je voguais, lorsqu'à travers mes liens frêles
Des noyés descendaient dormir, à reculons !

70 Or moi, bateau perdu sous les cheveux des anses[3],
Jeté par l'ouragan dans l'éther[4] sans oiseau,
Moi dont les Monitors[5] et les voiliers des Hanses[6]
N'auraient pas repêché la carcasse ivre d'eau ;

Libre, fumant, monté de brumes violettes,
75 Moi qui trouais le ciel rougeoyant comme un mur,
Qui porte, confiture exquise aux bons poètes,
Des lichens[7] de soleil et des morves d'azur,

Qui courais, taché de lunules[8] électriques,
Planche folle, escorté des hippocampes noirs,
80 Quand les juillets faisaient crouler à coups de triques
Les cieux ultramarins[9] aux ardents entonnoirs ;

Moi qui tremblais, sentant geindre[10] à cinquante lieues[11]
Le rut[12] des Behemots[13] et les Maelstroms[14] épais,

---

notes

1. **fientes :** excréments.
2. **clabaudeurs :** qui poussent des cris sans raison.
3. **anses :** petites baies peu profondes.
4. **éther :** air, ciel, atmosphère.
5. **Monitors :** bateaux de guerre utilisés pendant la guerre de Sécession aux États-Unis.
6. **Hanses :** associations de marchands.
7. **lichens :** mélange de champignons et d'algues qui poussent sur le sol, les pierres ou les plantes.
8. **lunules :** formes de croissants.
9. **ultramarins :** d'un bleu très intense.
10. **geindre :** se plaindre d'une voix faible.
11. **lieues :** ancienne unité de distance, dont la valeur varie entre 4 et 6 kilomètres.
12. **rut :** période d'activité sexuelle de certains animaux.
13. **Behemots :** créatures légendaires de différentes religions qui réfèrent à un animal de grande taille.
14. **Maelstroms :** tourbillons marins.

Fileur[1] éternel des immobilités bleues,
85 Je regrette l'Europe aux anciens parapets !

J'ai vu des archipels sidéraux ! et des îles
Dont les cieux délirants sont ouverts au vogueur :
– Est-ce en ces nuits sans fonds que tu dors et t'exiles,
Million d'oiseaux d'or, ô future Vigueur ? –

90 Mais, vrai, j'ai trop pleuré ! Les Aubes sont navrantes,
Toute lune est atroce et tout soleil amer :
L'âcre amour m'a gonflé de torpeurs enivrantes.
Ô que ma quille[2] éclate ! Ô que j'aille à la mer !

Si je désire une eau d'Europe, c'est la flache[3]
95 Noire et froide où vers le crépuscule embaumé
Un enfant accroupi plein de tristesse, lâche
Un bateau frêle comme un papillon de mai.

Je ne puis plus, baigné de vos langueurs[4], ô lames,
Enlever leur sillage[5] aux porteurs de cotons,
100 Ni traverser l'orgueil des drapeaux et des flammes,
Ni nager sous les yeux horribles des pontons[6] !

---

notes

1. Fileur : personne dont le métier est de filer la matière textile.
2. quille : partie inférieure d'un bateau.
3. flache : déformation de la chaussée caractérisée par une dépression superficielle de forme arrondie.
4. langueurs : mélancolie.
5. sillage : trace laissée par le passage d'un navire.
6. pontons : vieux navires.

Arthur Rimbaud

LES ASSIS

Noirs de loupes, grêlés[1], les yeux cerclés de bagues
Vertes, leurs doigts boulus[2] crispés à leurs fémurs,
Le sinciput[3] plaqué de hargnosités[4] vagues
Comme les floraisons lépreuses des vieux murs ;

5 Ils ont greffé dans des amours épileptiques
Leur fantasque[5] ossature aux grands squelettes noirs
De leurs chaises ; leurs pieds aux barreaux rachitiques[6]
S'entrelacent pour les matins et pour les soirs !

Ces vieillards ont toujours fait tresse avec leurs sièges,
10 Sentant les soleils vifs percaliser[7] leur peau,
Ou, les yeux à la vitre où se fanent les neiges,
Tremblant du tremblement douloureux du crapaud.

Et les Sièges leur ont des bontés : culottée
De brun, la paille cède aux angles de leurs reins ;
15 L'âme des vieux soleils s'allume emmaillotée[8]
Dans ces tresses d'épis où fermentaient les grains.

Et les Assis, genoux aux dents, verts pianistes,
Les dix doigts sous leur siège aux rumeurs de tambour,
S'écoutent clapoter des barcarolles[9] tristes,
20 Et leurs caboches vont dans des roulis[10] d'amour.

notes

1. grêlés : qui portent les marques de la variole, maladie infectieuse se manifestant par des boutons qui laissent de profondes cicatrices.
2. boulus : arrondis, boudinés.
3. sinciput : partie supérieure du crâne.
4. hargnosités : agressivité.
5. fantasque : bizarre, extravagante.
6. rachitiques : très maigres et sans force.

7. percaliser : rendre semblable à de la percale, un coton très serré, brillant, ferme et fin.
8. emmaillotée : enveloppée d'un linge.
9. barcarolles : chansons des gondoliers à Venise.
10. roulis : mouvement que fait un bateau en penchant d'un côté à l'autre.

– Oh ! ne les faites pas lever ! C'est le naufrage…
Ils surgissent, grondant comme des chats giflés,
Ouvrant lentement leurs omoplates, ô rage !
Tout leur pantalon bouffe à leurs reins boursouflés.

25   Et vous les écoutez, cognant leurs têtes chauves
Aux murs sombres, plaquant et plaquant leurs pieds
                           [tors,
Et leurs boutons d'habit sont des prunelles fauves
Qui vous accrochent l'œil du fond des corridors !

30   Puis ils ont une main invisible qui tue :
Au retour, leur regard filtre ce venin noir
Qui charge l'œil souffrant de la chienne battue,
Et vous suez pris dans un atroce entonnoir.

Rassis, les poings noyés dans des manchettes sales,
35   Ils songent à ceux-là qui les ont fait lever
Et, de l'aurore au soir, des grappes d'amygdales
Sous leurs mentons chétifs[1] s'agitent à crever[2].

Quand l'austère sommeil a baissé leurs visières,
Ils rêvent sur leur bras de sièges fécondés,
40   De vrais petits amours de chaises en lisière[3]
Par lesquelles de fiers bureaux seront bordés ;

Des fleurs d'encre crachant des pollens en virgule
Les bercent le long des calices accroupis,
Tels qu'au fil des glaïeuls[4] le vol des libellules
45   – Et leur membre s'agace à des barbes d'épis.

notes

1. **chétifs :** délicats.
2. **crever :** mourir.
3. **en lisière :** en bordure.
4. **glaïeuls :** fleurs.

Arthur Rimbaud

MES PETITES AMOUREUSES

Un hydrolat lacrymal[1] lave
    Les cieux vert-chou :
Sous l'arbre tendronnier[2] qui bave,
    Vos caoutchoucs

5 Blancs de lunes particulières
    Aux pialats[3] ronds
Entrechoquez vos genouillères,
    Mes laiderons !

Nous nous aimions à cette époque,
10   Bleu laideron !
On mangeait des œufs à la coque
    Et du mouron !

Un soir, tu me sacras poète,
    Blond laideron :
15 Descends ici, que je te fouette
    En mon giron[4] ;

J'ai dégueulé ta bandoline[5],
    Noir laideron ;
Tu couperais ma mandoline
20   Au fil du front.

---

notes ....

1. hydrolat lacrymal : la pluie (périphrase formée d'*hydrolat*, eau, et de *lacrymal*, qui évoque la sécrétion).
2. tendronnier : relatif à la jeunesse.
3. pialats : néologisme, possiblement dérivé de *peler*.

4. giron : partie du corps allant des cuisses aux genoux lorsqu'on est en position assise.
5. bandoline : pommade pour les cheveux.

Pouah! mes salives desséchées,
    Roux laideron
Infectent encor les tranchées
    De ton sein rond!

25 Ô mes petites amoureuses,
    Que je vous hais!
Plaquez de fouffes[1] douloureuses,
    Vos tétons laids!

Piétinez mes vieilles terrines
30   De sentiment;
– Hop donc! Soyez-moi ballerines
    Pour un moment!…

Vos omoplates se déboîtent,
    Ô mes amours!
35 Une étoile à vos reins qui boitent,
    Tournez vos tours!

Et c'est pourtant pour ces éclanches[2]
    Que j'ai rimé!
Je voudrais vous casser les hanches
40   D'avoir aimé!

Fade amas d'étoiles ratées,
    Comblez les coins!
–Vous crèverez en Dieu, bâtées
    D'ignobles soins!

notes ....

1. fouffes : chiffons pour faire paraître les poitrines moins plates.

2. éclanches : en boucherie, désignent l'épaule d'une bête.

45   Sous les lunes particulières
        Aux pialats ronds,
  Entrechoquez vos genouillères,
        Mes laiderons!

Les Cahiers de Douai

PRÉSENTATION

Les Cahiers de Douai (parfois Cahier de Douai, Recueil de Douai, mais aussi Recueil Demeny) est un ensemble de vingt-deux poèmes écrits par Rimbaud durant son adolescence et qui ont été réunis sous forme de manuscrit à l'automne 1870. Alors en fugue et de passage à Douai chez son professeur Georges Izambard, Rimbaud aurait confié le recueil à l'éditeur Paul Demeny dans l'espoir que celui-ci le publie. Non seulement Demeny ne le publia pas, mais il refusa par la suite de le brûler, comme son auteur le lui demandait.

Arthur Rimbaud

BAL DES PENDUS

Au gibet[1] noir, manchot aimable,
Dansent, dansent les paladins[2],
Les maigres paladins du diable,
Les squelettes de Saladins[3].

5   Messire Belzébuth[4] tire par la cravate
Ses petits pantins noirs grimaçant sur le ciel,
Et, leur claquant au front un revers de savate[5],
Les fait danser, danser aux sons d'un vieux Noël!

Et les pantins choqués enlacent leurs bras grêles:
10   Comme des orgues noirs, les poitrines à jour
Que serraient autrefois les gentes[6] damoiselles,
Se heurtent longuement dans un hideux[7] amour.

Hurrah! Les gais danseurs, qui n'avez plus de panse!
On peut cabrioler, les tréteaux[8] sont si longs!
15   Hop! qu'on ne sache plus si c'est bataille ou danse!
Belzébuth enragé racle[9] ses violons!

Ô durs talons, jamais on n'use sa sandale!
Presque tous ont quitté la chemise de peau:
Le reste est peu gênant et se voit sans scandale.
20   Sur les crânes, la neige applique un blanc chapeau:

---

notes

1. gibet: lieu où l'on pendait les condamnés à mort lors d'exécutions capitales.
2. paladins: au Moyen Âge, chevaliers errants.
3. Saladins: Saladin était un héros de croisades en Syrie et en Égypte au XIIe et au XIIIe siècle.

4. Belzébuth: nom donné au diable.
5. savate: chaussure usée.
6. gentes: jolies et gentilles.
7. hideux: très laid.
8. tréteaux: supports en bois.
9. racle: frotte rudement.

Le corbeau fait panache[1] à ces têtes fêlées,
Un morceau de chair tremble à leur maigre menton :
On dirait, tournoyant dans les sombres mêlées,
Des preux[2], raides, heurtant armures de carton.

25 Hurrah ! La bise[3] siffle au grand bal des squelettes !
Le gibet noir mugit[4] comme un orgue de fer !
Les loups vont répondant des forêts violettes :
À l'horizon, le ciel est d'un rouge d'enfer…

Holà[5], secouez-moi ces capitans[6] funèbres
30 Qui défilent, sournois, de leurs gros doigts cassés
Un chapelet d'amour sur leurs pâles vertèbres.
Ce n'est pas un moustier[7] ici, les trépassés[8] !

Oh ! voilà qu'au milieu de la danse macabre
Bondit dans le ciel rouge un grand squelette fou
35 Emporté par l'élan, comme un cheval se cabre :
Et, se sentant encor la corde raide au cou,

Crispe ses petits doigts sur son fémur qui craque
Avec des cris pareils à des ricanements,
Et, comme un baladin[9] rentre dans la baraque,
40 Rebondit dans le bal au chant des ossements.

---

notes

1. fait panache : se retourne sur soi-même.
2. preux : courageux.
3. bise : vent sec et froid.
4. mugit : à la manière d'un bœuf, émet un fort bruit.
5. Holà : interjection servant à appeler.

6. capitans : personnages fanfarons et ridicules.
7. moustier : monastère.
8. trépassés : morts.
9. baladin : comédien ambulant, amuseur public.

Au gibet noir, manchot aimable,
Dansent, dansent les paladins,
Les maigres paladins du diable,
Les squelettes de Saladins.

AU CABARET-VERT,
CINQ HEURES DU SOIR

Depuis huit jours, j'avais déchiré mes bottines
Aux cailloux des chemins. J'entrais à Charleroi[1].
– AU CABARET-VERT : je demandai des tartines
De beurre et du jambon qui fût à moitié froid.

5 Bienheureux, j'allongeai les jambes sous la table
Verte : je contemplai les sujets très naïfs
De la tapisserie. – Et ce fut adorable,
Quand la fille aux tétons énormes, aux yeux vifs,

– Celle-là, ce n'est pas un baiser qui l'épeure[2] ! –
10 Rieuse, m'apporta des tartines de beurre,
Du jambon tiède, dans un plat colorié,

Du jambon rose et blanc parfumé d'une gousse
D'ail, – et m'emplit[3] la chope[4] immense, avec sa mousse
Que dorait un rayon de soleil arriéré.

notes
1. **Charleroi :** ville de Belgique.
2. **l'épeure :** lui fait peur.
3. **m'emplit :** me remplit.
4. **chope :** grosse tasse dont l'anse et les parois sont épaisses.

Arthur Rimbaud

ROMAN

I

On n'est pas sérieux, quand on a dix-sept ans.
– Un beau soir, foin des bocks[1] et de la limonade,
Des cafés tapageurs[2] aux lustres éclatants !
– On va sous les tilleuls verts de la promenade.

5 Les tilleuls sentent bon dans les bons soirs de juin !
L'air est parfois si doux, qu'on ferme la paupière ;
Le vent chargé de bruits, – la ville n'est pas loin, –
A des parfums de vigne et des parfums de bière…

II

– Voilà qu'on aperçoit un tout petit chiffon
10 D'azur sombre, encadré d'une petite branche,
Piqué d'une mauvaise étoile, qui se fond
Avec de doux frissons, petite et toute blanche…

Nuit de juin ! Dix-sept ans ! – On se laisse griser[3].
La sève est du champagne et vous monte à la tête…
15 On divague ; on se sent aux lèvres un baiser
Qui palpite là, comme une petite bête…

III

Le cœur fou Robinsonne à travers les romans,
– Lorsque, dans la clarté d'un pâle réverbère,

notes

1. **bocks :** grands verres de bière.
2. **tapageurs :** bruyants et désordonnés.
3. **griser :** saouler.

Passe une demoiselle aux petits airs charmants,
20 Sous l'ombre du faux-col effrayant de son père…

Et, comme elle vous trouve immensément naïf,
Tout en faisant trotter ses petites bottines,
Elle se tourne, alerte et d'un mouvement vif…
– Sur vos lèvres alors meurent les cavatines[1]…

IV

25 Vous êtes amoureux. Loué jusqu'au mois d'août.
Vous êtes amoureux. – Vos sonnets La font rire.
Tous vos amis s'en vont, vous êtes mauvais goût.
– Puis l'adorée, un soir, a daigné vous écrire… !

– Ce soir-là,… – vous rentrez aux cafés éclatants,
30 Vous demandez des bocks ou de la limonade…
– On n'est pas sérieux, quand on a dix-sept ans
Et qu'on a des tilleuls verts sur la promenade.

note ....

| **1. cavatines :** petites pièces chantées par une personne, en solo, dans un opéra.

Arthur Rimbaud

MA BOHÈME
(FANTAISIE)

Je m'en allais, les poings dans mes poches crevées ;
Mon paletot aussi devenait idéal ;
J'allais sous le ciel, Muse ! et j'étais ton féal[1] ;
Oh ! là là ! que d'amours splendides j'ai rêvées !

5   Mon unique culotte avait un large trou.
– Petit-Poucet[2] rêveur, j'égrenais[3] dans ma course
Des rimes. Mon auberge était à la Grande-Ourse[4],
– Mes étoiles au ciel avaient un doux frou-frou

Et je les écoutais, assis au bord des routes,
10   Ces bons soirs de septembre où je sentais des gouttes
De rosée à mon front, comme un vin de vigueur ;

Où, rimant au milieu des ombres fantastiques,
Comme des lyres[5], je tirais les élastiques
De mes souliers blessés, un pied près de mon cœur !

notes

1. **féal :** fidèle, loyal.
2. **Petit-Poucet :** personnage d'un conte de Perrault. Alors que ses parents l'amènent dans le bois pour le perdre parce qu'ils n'ont pas d'argent pour s'occuper de lui, Petit-Poucet sème des cailloux derrière lui afin de retrouver le chemin du retour.
3. **égrenais :** parsemais de petits morceaux.
4. **Grande-Ourse :** constellation.
5. **lyres :** instruments à cordes pincées ; la lyre est le symbole de la poésie.

LE DORMEUR DU VAL

C'est un trou de verdure où chante une rivière
Accrochant follement aux herbes des haillons[1]
D'argent; où le soleil, de la montagne fière,
Luit: c'est un petit val qui mousse de rayons.

5 Un soldat jeune, bouche ouverte, tête nue,
Et la nuque baignant dans le frais cresson[2] bleu,
Dort; il est étendu dans l'herbe, sous la nue,
Pâle dans son lit vert où la lumière pleut.

Les pieds dans les glaïeuls[3], il dort. Souriant comme
10 Sourirait un enfant malade, il fait un somme:
Nature, berce-le chaudement: il a froid.

Les parfums ne font pas frissonner sa narine;
Il dort dans le soleil, la main sur sa poitrine
Tranquille. Il a deux trous rouges au côté droit.

---

notes

1. haillons: vieux vêtements déchirés. Lambeaux.
2. cresson: plante rampante au goût piquant.

3. glaïeuls: fleurs.

Une saison en enfer (Extrait)

PRÉSENTATION

Recueil de poèmes en prose rédigé en 1873, *Une saison en enfer* s'inscrit dans une période tourmentée de la vie de Rimbaud, qui choisit de se séparer définitivement de Verlaine après que ce dernier l'eut blessé. Rimbaud n'a que dix-neuf ans lorsqu'il écrit et publie lui-même ce recueil. Sorte de testament verbal, l'œuvre, relatant les souffrances, les désillusions et les espoirs du poète, s'ouvre sur un poème sans titre s'apparentant à un prologue*, qui introduit huit poèmes en prose.

*: *Cf.* Glossaire

[EXTRAIT]

Jadis[1], si je me souviens bien, ma vie était un festin où s'ouvraient tous les cœurs, où tous les vins coulaient.

Un soir, j'ai assis la Beauté sur mes genoux. — Et je l'ai trouvée amère. — Et je l'ai injuriée.

5 Je me suis armé contre la justice.

Je me suis enfui. Ô sorcières, ô misère, ô haine, c'est à vous que mon trésor a été confié !

Je parvins à faire s'évanouir dans mon esprit toute l'espérance humaine. Sur toute joie pour l'étrangler j'ai fait le 10 bond sourd de la bête féroce.

J'ai appelé les bourreaux pour, en périssant, mordre la crosse de leurs fusils. J'ai appelé les fléaux, pour m'étouffer avec le sable, le sang. Le malheur a été mon dieu. Je me suis allongé dans la boue. Je me suis séché à l'air du crime. Et j'ai joué de 15 bons tours à la folie.

Et le printemps m'a apporté l'affreux rire de l'idiot.

Or, tout dernièrement m'étant trouvé sur le point de faire le dernier couac ! j'ai songé à rechercher la clef du festin ancien, où je reprendrais peut-être appétit.

20 La charité est cette clef. — Cette inspiration prouve que j'ai rêvé !

«Tu resteras hyène, etc...», se récrie le démon qui me couronna de si aimables pavots[2]. «Gagne la mort avec tous tes appétits, et ton égoïsme et tous les péchés capitaux.»

25 Ah ! j'en ai trop pris : — Mais, cher Satan, je vous en conjure, une prunelle[3] moins irritée ! et en attendant les quelques petites lâchetés en retard, vous qui aimez dans l'écrivain l'absence des facultés descriptives ou instructives, je vous détache ces quelques hideux feuillets de mon carnet de damné.

notes ....

1. **Jadis :** autrefois.
2. **pavots :** plantes à partir desquelles on produit l'opium.

3. **prunelle :** pupille de l'œil.

Tristan Corbière

La vie de Tristan Corbière est marquée, peut-être plus que celle de tous les autres poètes rassemblés dans le présent recueil, par le malheur et la malédiction. Originaire de Bretagne où il passera l'essentiel de sa courte vie (il meurt à vingt-neuf ans), fils d'un écrivain régionaliste de bonne renommée (Édouard Corbière, qui écrivit surtout des récits maritimes), il contracte à l'adolescence une maladie (le rhumatisme articulaire), qui ne lui laissera que peu de repos et mettra vite fin à sa vie. Le corps déformé, d'une maigreur effrayante, le poète est soumis à des accès de dépression profonde et mène une existence souffrante et misérable ; sa seule consolation est de prendre la mer sur sa petite embarcation, qu'il a baptisée *Le négrier*, du nom de l'œuvre la plus connue de son père. Dans le village breton de Roskoff, il occupe une maison appartenant à sa famille ; il s'y livre à des excentricités qui le rendent encore plus étrange aux yeux des habitants, qui le surnomment « l'Ankou », ou spectre de la mort.

« On aime jaune comme on rit jaune », explique-t-il non sans ironie, offrant de la sorte une des clés de lecture de son unique recueil, *Les Amours jaunes*. Amoureux de la mer, il n'aura pas pu devenir marin comme il en rêvait ; amoureux d'une unique femme dont il fait sa muse, sa passion ne sera jamais partagée. Sa poésie reflète ainsi la détresse et la révolte qui l'habitent, sentiments qu'il transforme en un art de la dislocation, de l'hésitation, un art de l'imperfection qui fait de lui une sorte d'antipoète, se servant d'une langue meurtrie, qui se fait le miroir de son corps malade. Passé complètement inaperçu au moment de la publication de son recueil, Corbière doit en bonne partie sa renommée à Verlaine, qui lui consacre un chapitre de son livre *Les poètes maudits*, paru en 1884, entraînant sa redécouverte progressive au XXe siècle.

Les Amours jaunes

PRÉSENTATION

Peu conforme aux canons poétiques de son époque, le recueil de poésie *Les Amours jaunes*, édité en 1873, passera totalement inaperçu et ne retiendra pas l'attention de la critique. Adoptant un ton sarcastique et désabusé, Corbière, peu gâté par la nature, rachitique et tuberculeux, produira une œuvre aussi peu conformiste que sa propre vie. Ce recueil fascine par sa marginalité, sa modernité dans la description crue de la souffrance et des tentations ainsi que par ses ancrages à sa Bretagne natale.

Tristan Corbière

À L'ÉTERNEL MADAME

Mannequin idéal, tête-de-turc[1] du leurre[2],
Éternel Féminin!… repasse tes fichus[3] ;
Et viens sur mes genoux, quand je marquerai l'heure,
Me montrer comme on fait chez vous, anges déchus.

5   Sois pire, et fais pour nous la joie à la malheure,
Piaffe[4] d'un pied léger dans les sentiers ardus.
Damne-toi, pure idole! et ris! et chante! et pleure,
Amante! Et meurs d'amour!… à nos moments perdus.

Fille de marbre! en rut! sois folâtre[5]!… et pensive.
10   Maîtresse, chair de moi! fais-toi vierge et lascive…
Féroce, sainte, et bête, en me cherchant un cœur…

Sois femelle de l'homme, et sers de Muse, ô femme,
Quand le poète brame en *Âme, en Lame, en Flamme*!
Puis – quand il ronflera – viens baiser ton Vainqueur!

STEAM-BOAT

À une passagère.

En fumée elle est donc chassée
    L'éternité, la traversée
Qui fit de Vous ma sœur d'un jour,
    Ma sœur d'amour!…

Là-bas: cette mer incolore
Où ce qui fut Toi flotte encore…
Ici: la terre, ton écueil,
    Tertre[1] de deuil!

10 On t'espère là… Va légère!
Qui te bercera, Passagère?…
Ô passagère de mon cœur,
    Ton remorqueur!…

Quel ménélas[2], sur son rivage,
15 Fait le pied?… — Va, j'ai ton sillage…
J'ai, — quand il est là voir venir, —
    Ton souvenir!

Il n'aura pas, lui, ma Peureuse,
Les sauts de ta gorge[3] houleuse[4]!…
20 Tes sourcils salés de poudrain[5]
    Pendant un grain!

notes

1. **Tertre:** butte, monticule.
2. **ménélas:** dans la mythologie grecque, Ménélas était le roi de Sparte et le héros de la guerre de Troie.
3. **gorge:** poitrine.
4. **houleuse:** qui a du mouvement.
5. **poudrain:** le *poudrin* est une fine pluie.

Il ne t'aura pas : effrontée !
Par tes cheveux au vent fouettée !...
Ni, durant les longs quarts de nuit,
   Ton doux ennui...

25

Ni ma poésie où : – *Posée,*
Tu seras la mouette blessée,
Et moi le flot qu'elle rasa...,
   Et cœtera.

30 – Le large, bête sans limite,
Me paraîtra bien grand, Petite,
Sans Toi !... Rien n'est plus l'horizon
   Qu'une cloison[1].

Qu'elle va me sembler étroite !
35 Tout seul, la boîte à deux !... la boîte
Où nous n'avions qu'un oreiller
   Pour sommeiller.

Déjà le soleil se fait sombre
Qui ne balance plus ton ombre,
40 Et la houle[2] a fait un grand pli...
   – Comme l'oubli ! –

Ainsi déchantait sa fortune,
En vigie[3], au sec, dans la hune[4],
Par un soir frais, vers le matin,
45   Un pilotin[5].

notes

1. **cloison** : mur qui divise les espaces.
2. **houle** : mouvement des vagues.
3. **vigie** : surveillance.
4. **hune** : plate-forme d'un navire.
5. **pilotin** : élève de la marine.

INSOMNIE

Insomnie, impalpable Bête !
N'as-tu d'amour que dans la tête ?
Pour venir te pâmer à voir,
Sous ton mauvais œil, l'homme mordre
5 Ses draps, et dans l'ennui se tordre !…
Sous ton œil de diamant noir.

Dis : pourquoi, durant la nuit blanche,
Pluvieuse comme un dimanche,
Venir nous lécher comme un chien :
10 Espérance ou Regret qui veille,
À notre palpitante oreille
Parler bas… et ne dire rien ?

Pourquoi, sur notre gorge aride,
Toujours pencher ta coupe vide
15 Et nous laisser le cou tendu,
Tantales[1], soiffeurs[2] de chimère[3] :
– Philtre amoureux ou lie[4] amère
Fraîche rosée ou plomb fondu ! –

Insomnie, es-tu donc pas belle ?…
20 Eh pourquoi, lubrique pucelle[5],
Nous étreindre entre tes genoux ?
Pourquoi râler sur notre bouche,

notes ....

1. Tantales : dans la mythologie grecque, Tantale était un mortel, fils de Zeus, qui, pour apaiser une famine, tua son fils et le servit dans un banquet. Comme punition, on le pendit à un arbre et on le condamna à être assoiffé.
2. soiffeurs : ivrognes.

3. chimère : animal mythologique à tête et buste de lion, ventre de chèvre et queue de dragon. Par extension, la chimère fait allusion à un animal adoptant plusieurs formes à la fois.
4. lie : résidu d'un liquide fermenté, comme le vin.
5. pucelle : fille vierge.

Pourquoi défaire notre couche[1],
Et… ne pas coucher avec nous?

25   Pourquoi, Belle-de-nuit impure,
Ce masque noir sur ta figure?…
– Pour intriguer les songes d'or?…
N'es-tu pas l'amour dans l'espace,
Souffle de Messaline[2] lasse,
30   Mais pas rassasiée encor!

Insomnie, es-tu l'Hystérie…
Es-tu l'orgue de barbarie[3]
Qui moud l'*Hosannah*[4] des Élus?…
– Ou n'es-tu pas l'éternel plectre[5],
35   Sur les nerfs des damnés-de-lettre,
Raclant leurs vers – qu'eux seuls ont lus.

Insomnie, es-tu l'âne en peine
De Buridan[6] – ou le phalène[7]
De l'enfer? – Ton baiser de feu
40   Laisse un goût froidi de fer rouge…
Oh! viens te poser dans mon bouge[8]!…
Nous dormirons ensemble un peu.

notes

1. **couche**: lit, matelas.
2. **Messaline**: impératrice romaine, prostituée et coupable de plusieurs crimes; elle symbolise le dévergondage.
3. **orgue de barbarie**: instrument de musique portatif.
4. **Hosannah**: cri de joie.
5. **plectre**: objet utilisé pour pincer les cordes d'un instrument à vent.
6. **Buridan**: philosophe français du XIIIe siècle, qui utilisait l'histoire d'un âne pour discuter du libre arbitre dans les cours qu'il donnait. L'expression *l'âne de Buridan* signifie «hésiter indéfiniment».
7. **phalène**: grand papillon nocturne.
8. **bouge**: taudis.

BONSOIR

Et vous viendrez alors, imbécile caillette[1],
Taper dans ce miroir clignant qui se paillette
D'un éclis d'or, accroc[2] de l'astre jaune, éteint.
Vous verrez un bijou dans cet éclat de tain[3].

5   Vous viendrez à cet homme, à son reflet mièvre[4]
Sans chaleur… Mais, au jour qu'il dardait[5] la fièvre,
Vous n'avez rien senti, vous qui – midi passé –
Tombez dans ce rayon tombant qu'il a laissé.

Lui ne vous connaît plus, Vous, l'Ombre déjà vue,
10 Vous qu'il avait couchée en son ciel toute nue,
Quand il était un Dieu !… Tout cela – n'en faut plus. –

Croyez – Mais lui n'a plus ce mirage qui leurre.
Pleurez – Mais il n'a plus cette corde qui pleure.
Ses chants… – C'était d'un autre ; il ne les a pas lus.

---

notes

1. caillette : femme qui parle beaucoup, voire trop.
2. accroc : problème.
3. tain : alliage appliqué derrière une vitre pour réfléchir la lumière et créer un miroir.
4. mièvre : d'une gentillesse molle.
5. dardait : envoyait.

Tristan Corbière

VENDETTA

Tu ne veux pas de mon âme
Que je jette à tour de bras :
Chère, tu me le payeras !...
Sans rancune – je suis femme ! –

5   Tu ne veux pas de ma peau :
Venimeux comme un jésuite[1],
Prends garde !... je suis ensuite
Jésuite comme un crapaud,

Et plat comme la punaise,
10   Compagne que j'ai sur moi,
Pure… mais, – ne te déplaise, –
Je te préférerais, Toi !

     – Je suis encor, Ma très-Chère,
Serpent comme le Serpent
15   Froid, coulant, poisson rampant
Qui fit pécher ta grand'mère…

Et tu ne vaux pas, Pécore[2],
Beaucoup plus qu'elle, je crois…
Vaux-tu ma chanson encore ?...
20   Me vaux-tu seulement moi !...

notes

1. **jésuite** : membre de la Compagnie de
Jésus, ordre religieux fondé par Ignace
de Loyola au XVIe siècle.

2. **Pécore** : femme prétentieuse et sotte.

114

LE CRAPAUD

Un chant dans une nuit sans air…
La lune plaque en métal clair
Les découpures du vert sombre.

… Un chant; comme un écho, tout vif
5 Enterré, là, sous le massif…
— Ça se tait : Viens, c'est là, dans l'ombre…

— Un crapaud ! — Pourquoi cette peur,
Près de moi, ton soldat fidèle !
Vois-le, poète tondu, sans aile,
10 Rossignol de la boue… — Horreur ! —

… Il chante. — Horreur !! — Horreur pourquoi ?
Vois-tu pas son œil de lumière…
Non : il s'en va, froid, sous sa pierre.

Bonsoir — ce crapaud-là c'est moi.

ÉPITAPHE

Sauf les amoureux commençants ou finis qui veulent commencer
par la fin il y a tant de choses qui finissent par le commencement
que le commencement commence à finir par être la fin, la fin en sera
que les amoureux et autres finiront par commencer à recommencer
par ce commencement qui aura fini par n'être que la fin retournée
ce qui commencera par être égal à l'éternité qui n'a ni fin ni
commencement et finira par être aussi finalement égal à la rotation
de la terre où l'on aura fini par ne distinguer plus où commence
la fin d'où finit le commencement ce qui est toute fin de tout
commencement égale à tout commencement de toute fin ce qui est
le commencement final de l'infini défini par l'indéfini – Égale une
épitaphe égale une préface et réciproquement

Sagesse des nations.

Il se tua d'ardeur, ou mourut de paresse.
S'il vit, c'est par oubli ; voici ce qu'il se laisse :

— Son seul regret fut de n'être pas sa maîtresse. —

Il ne naquit par aucun bout,
Fut toujours poussé vent-de-bout[1],
Et fut un arlequin-ragoût,
Mélange adultère de tout.

Du *je-ne-sais-quoi.* — Mais ne sachant où ;
De l'or, — mais avec pas le sou ;
Des nerfs, — sans nerf. Vigueur sans force ;
De l'élan, — avec une entorse ;
De l'âme, — et pas de violon ;

note ....

| **1. vent-de-bout** : vent de face.

De l'amour, – mais pire étalon.
– Trop de noms pour avoir un nom. –

Coureur d'idéal, – sans idée ;
Rime riche, – et jamais rimée ;
30 Sans avoir été, – revenu ;
Se retrouvant partout perdu.

Poète, en dépit de ses vers ;
Artiste sans art, – à l'envers,
Philosophe, – à tort à travers.

35 Un drôle sérieux, – pas drôle.
Acteur, il ne sut pas son rôle ;
Peintre : il jouait de la musette[1] ;
Et musicien : de la palette.

Une tête ! – mais pas de tête ;
40 Trop fou pour savoir être bête ;
Prenant pour un trait[2] le mot *très*.
– Ses vers faux furent ses seuls vrais.

Oiseau rare – et de pacotille ;
Très mâle… et quelquefois très *fille* :
45 Capable de tout, – bon à rien ;
Gâchant bien le mal, mal le bien.
Prodigue comme était l'enfant
Du Testament, – sans testament.
Brave, et souvent, par peur du plat,
50 Mettant ses deux pieds dans le plat.

notes

1. **musette** : instrument à vent muni d'un ou de deux tuyaux, qui ressemble à une cornemuse.

2. **Prenant pour un trait** : prenant comme une insulte.

Coloriste enragé, – mais blême;
Incompris… – surtout de lui-même;
Il pleura, chanta juste faux;
– Et fut un défaut sans défauts.

55 Ne fut *quelqu'un*, ni quelque chose
Son naturel était la *pose*.
Pas poseur, – posant pour l'*unique*;
Trop naïf, étant trop cynique;
Ne croyant à rien, croyant tout.
60 – Son goût était dans le dégoût.

Trop cru, – parce qu'il fut trop cuit,
Ressemblant à rien moins qu'à lui,
Il s'amusa de son ennui,
Jusqu'à s'en réveiller la nuit.
65 Flâneur au large, – à la dérive,
Épave qui jamais n'arrive…

Trop *Soi* pour se pouvoir souffrir,
L'esprit à sec et la tête ivre,
Fini, mais ne sachant finir,
70 Il mourut en s'attendant vivre
Et vécut, s'attendant mourir.

Ci-gît, – cœur sans cœur, mal planté,
Trop réussi – comme *raté*.

PETIT MORT POUR RIRE

Va vite, léger peigneur de comètes!
Les herbes au vent seront tes cheveux;
De ton œil béant jailliront les feux
Follets, prisonniers dans les pauvres têtes...

5   Les fleurs de tombeau qu'on nomme Amourettes
Foisonneront plein ton rire terreux...
Et les myosotis[1], ces fleurs d'oubliettes...

Ne fais pas le lourd[2]: cercueils de poètes
Pour les croque-morts sont de simples jeux,
10   Boîtes à violon qui sonnent le creux...
Ils te croiront mort – Les bourgeois sont bêtes –
Va vite, léger peigneur de comètes!

---

notes

1. myosotis: plantes à très petites fleurs bleues, blanches ou roses.

2. Ne fais pas le lourd: ne sois pas désagréable.

Tristan Corbière

UN SONNET
AVEC LA MANIÈRE DE S'EN SERVIR

Réglons notre papier et formons bien nos lettres :

Vers filés[1] à la main et d'un pied uniforme,
Emboîtant bien le pas, par quatre en peloton ;
Qu'en marquant la césure[2], un des quatre s'endorme...
5   Ça peut dormir debout comme soldats de plomb.

Sur le *railway*[3] du Pinde[4] est la ligne, la forme ;
Aux fils du télégraphe : – on en suit quatre, en long ;
A chaque pieu, la rime – exemple : *chloroforme*.
– Chaque vers est un fil, et la rime un jalon[5].

10   – Télégramme sacré – 20 mots. – Vite à mon aide...
(Sonnet – c'est un sonnet –) ô Muse d'Archimède[6] !
– La preuve d'un sonnet est par l'addition :
– Je pose 4 et 4 = 8 ! Alors je procède,
En posant 3 et 3 ! – Tenons Pégase[7] raide :
15   « Ô lyre ! Ô délire ! Ô... » – Sonnet – Attention !

---

notes

1. **filés :** longuement développés.
2. **césure :** endroit qui marque la coupure dans un vers.
3. *railway* **:** (anglais) chemin de fer.
4. **Pinde :** montagne au nord de la Grèce.
5. **jalon :** point de repère.
6. **Archimède :** scientifique grec dans l'Antiquité, grand mathématicien.
7. **Pégase :** célèbre cheval ailé de la mythologie grecque.

RONDEL[1]

Il fait noir, enfant, voleur d'étincelles!
Il n'est plus de nuits, il n'est plus de jours;
Dors... en attendant venir toutes celles
Qui disaient: Jamais! Qui disaient: Toujours!

5   Entends-tu leurs pas?... Ils ne sont pas lourds:
Oh! les pieds légers! – l'Amour a des ailes...
Il fait noir, enfant, voleur d'étincelles!

Entends-tu leurs voix?... Les caveaux[2] sont sourds.

Dors: Il pèse peu, ton faix[3] d'immortelles:
10 Ils ne viendront pas, tes amis les ours,
Jeter leur pavé[4] sur tes demoiselles...
Il fait noir, enfant, voleur d'étincelles!

---

notes

1. RONDEL: poème sur deux rimes avec
répétition des vers.
2. caveaux: petites caves servant de
sépulture dans une église ou un cimetière.

3. faix: fardeau.
4. pavé: brique.

Tristan Corbière

LE MOUSSE[1]

Mousse : il est donc marin, ton père ?...
– Pêcheur. Perdu depuis longtemps.
Et découchant d'avec ma mère,
Il a couché dans les brisants[2]...

5   Maman lui garde au cimetière
Une tombe – et rien dedans. –
C'est moi son mari sur la terre,
Pour gagner du pain aux enfants.

Deux petits. – Alors, sur la plage,
10   Rien n'est revenu du naufrage ?...
– Son garde-pipe et son sabot...

La mère pleure, le dimanche,
Pour repos... Moi : j'ai ma revanche
Quand je serai grand – matelot ! –

notes

1. MOUSSE : jeune matelot.

2. brisants : récifs sur lesquels se brisent les vagues.

Isidore Lucien Ducasse (comte de Lautréamont)

On sait peu de choses sur la vie du comte de Lautréamont, célèbre auteur d'un livre unique, *Les chants de Maldoror*, auquel s'ajoutent deux fascicules* (*Poésies I* et *Poésies II*) et des lettres. De son vrai nom Isidore Ducasse, fils d'un haut fonctionnaire du consulat de France à Montevideo (en Uruguay), qui le fit envoyer en France – c'est du moins ce qu'on croit – pour préparer le concours d'entrée à l'École polytechnique, Lautréamont a laissé quelques traces de son passage (ici, un séjour au Lycée de Tarbes où il fut un élève « invisible », là des inscriptions au registre des hôtels qu'il fréquente). Plus que des éléments précis de sa biographie, c'est possiblement leur rareté qui a le mieux contribué à créer autour de lui une légende. C'est qu'il y a un abîme entre cette vie dont on ne sait rien, anonyme à l'excès, probablement terne, et l'extraordinaire destin d'un livre, aujourd'hui l'un des plus célèbres de la poésie française.

Mort prématurément à l'âge de vingt-quatre ans, Lautréamont réussit à faire publier *Les chants de Maldoror* de son vivant, mais le livre ne fut pas distribué, vraisemblablement parce que son éditeur avait peur des poursuites. « Monument d'inventivité verbale », « délire assumé », « fantaisie sombre et fantastique », le livre est une charge contre tous les dogmes et l'incarnation peut-être la plus achevée en littérature de la révolte adolescente, une descente aux enfers, qui donne le vertige au lecteur en le plongeant au milieu de visions denses et souvent morbides. On le considère à juste titre comme un texte précurseur de la poésie surréaliste. Les textes en prose qui constituent *Les chants de Maldoror* rappellent en effet par plus d'un aspect l'écriture automatique* pratiquée par ces derniers.

* : *Cf. Glossaire*

Les chants de Maldoror

PRÉSENTATION

Isidore Ducasse, sous le pseudonyme de comte de Lautréamont, publie *Les chants de Maldoror* en 1869. L'anticonformisme est à l'honneur dans l'écriture de cet ouvrage en prose constitué de six parties (appelées *chants*). L'auteur dénonce tous les tabous moraux, s'attaque à l'humanité, au divin, décrivant des scènes d'une violence extrême. D'un point de vue stylistique, l'esthétique exacerbée et la transgression des règles expliquent aisément que l'œuvre de Lautréamont n'ait été reconnue qu'au XXe siècle.

CHANT IV

[...] Je suis sale. Les poux me rongent. Les pourceaux[1], quand ils me regardent, vomissent. Les croûtes et les escarres[2] de la lèpre ont écaillé ma peau, couverte de pus jaunâtre. Je ne connais pas l'eau des fleuves, ni la rosée des nuages. Sur ma nuque, comme
5   sur un fumier, pousse un énorme champignon, aux pédoncules ombellifères[3]. Assis sur un meuble informe, je n'ai pas bougé mes membres depuis quatre siècles. Mes pieds ont pris racine dans le sol et composent, jusqu'à mon ventre, une sorte de végétation vivace, remplie d'ignobles parasites, qui ne dérive pas encore de la
10 plante, et qui n'est plus de la chair. Cependant mon cœur bat. Mais comment battrait-il, si la pourriture et les exhalaisons[4] de mon cadavre (je n'ose pas dire corps) ne le nourrissaient abondamment? Sous mon aisselle gauche, une famille de crapauds a pris résidence, et, quand l'un d'eux remue, il me fait des
15 chatouilles. Prenez garde qu'il ne s'en échappe un, et ne vienne gratter, avec sa bouche, le dedans de votre oreille: il serait ensuite capable d'entrer dans votre cerveau. Sous mon aisselle droite, il y a un caméléon qui leur fait une chasse perpétuelle, afin de ne pas mourir de faim: il faut que chacun vive. Mais quand un parti
20 déjoue complètement les ruses de l'autre, ils ne trouvent rien de mieux que de ne pas se gêner, et sucent la graisse délicate qui couvre mes côtes: j'y suis habitué. Une vipère méchante a dévoré ma verge et a pris sa place: elle m'a rendu eunuque[5], cette infâme. Oh! si j'avais pu me défendre avec mes bras paralysés; mais, je crois
25 plutôt qu'ils se sont changés en bûches. Quoi qu'il en soit, il

notes

1. **pourceaux:** porcs.
2. **escarres:** mort des tissus de la peau qui entraîne la formation d'une croûte noire sur une plaie.
3. **ombellifères:** dont les fleurs sont disposées en partant du même point sur une tige.
4. **exhalaisons:** émanations d'odeur.
5. **eunuque:** homme castré dont le rôle était de garder les femmes d'un harem.

importe de constater que le sang ne vient plus y promener sa rougeur. Deux petits hérissons, qui ne croissent plus, ont jeté à un chien, qui n'a pas refusé, l'intérieur de mes testicules : l'épiderme, soigneusement lavé, ils ont logé dedans. L'anus a été intercepté par un crabe ; encouragé par mon inertie, il garde l'entrée avec ses pinces, et me fait beaucoup de mal ! Deux méduses ont franchi les mers, immédiatement alléchées par un espoir qui ne fut pas trompé. Elles ont regardé avec attention les deux parties charnues qui forment le derrière humain, et, se cramponnant à leur galbe[1] convexe, elles les ont tellement écrasées par une pression constante, que les deux morceaux de chair ont disparu, tandis qu'il est resté deux monstres, sortis du royaume de la viscosité, égaux par la couleur, la forme et la férocité. Ne parlez pas de ma colonne vertébrale, puisque c'est un glaive[2] ! Oui, oui... je n'y faisais pas attention... votre demande est juste. Vous désirez savoir, n'est-ce pas, comment il se trouve implanté verticalement dans mes reins ? Moi-même je ne me le rappelle pas très clairement ; cependant, si je me décide à prendre pour un souvenir ce qui n'est peut-être qu'un rêve, sachez que l'homme, quand il a su que j'avais fait vœu de vivre avec la maladie et l'immobilité jusqu'à ce que j'eusse vaincu le Créateur, marcha, derrière moi, sur la pointe des pieds, mais, non pas si doucement, que je ne l'entendisse. Je ne perçus plus rien, pendant un instant qui ne fut pas long. Ce poignard aigu s'enfonça, jusqu'au manche, entre les deux épaules du taureau des fêtes, et son ossature frissonna, comme un tremblement de terre. La lame adhère si fortement au corps, que personne, jusqu'ici, n'a pu l'extraire. Les athlètes, les philosophes, les médecins ont essayé, tour à tour, les moyens les plus divers. Ils ne savaient pas que le mal qu'a fait l'homme ne peut plus se défaire ! J'ai pardonné à la profondeur de leur ignorance native, et je les ai salués des

notes ....

1. **galbe** : contour courbé.

2. **glaive** : courte épée, symbole de la puissance et de la justice.

paupières de mes yeux. Voyageur, quand tu passeras près de moi, ne m'adresse pas, je t'en supplie, le moindre mot de consolation : tu affaiblirais mon courage. Laisse-moi réchauffer ma ténacité à la flamme du martyre volontaire. Va-t'en… que je ne t'inspire aucune piété. La haine est plus bizarre que tu ne le penses ; sa conduite est inexplicable comme l'apparence brisée d'un bâton enfoncé dans l'eau. Tel que tu me vois, je puis encore faire des excursions jusqu'aux murailles du ciel, à la tête d'une légion[1] d'assassins, et revenir prendre cette posture, pour méditer, de nouveau, sur les nobles projets de la vengeance. Adieu, je ne te retarderai pas davantage ; et, pour t'instruire et te préserver, réfléchis au sort fatal qui m'a conduit à la révolte, quand peut-être j'étais né bon ! Tu raconteras à ton fils ce que tu as vu ; et, le prenant par la main, fais-lui admirer la beauté des étoiles et les merveilles de l'univers, le nid du rouge-gorge et les temples du Seigneur. Tu seras étonné de le voir si docile aux conseils de la paternité, et tu le récompenseras par un sourire. Mais, quand il apprendra qu'il n'est pas observé, jette les yeux sur lui, et tu le verras cracher sa bave sur la vertu ; il t'a trompé, celui qui est descendu de la race humaine, mais, il ne te trompera plus : tu sauras désormais ce qu'il deviendra. Ô père infortuné, prépare, pour accompagner les pas de ta vieillesse, l'échafaud[2] ineffaçable qui tranchera la tête d'un criminel précoce, et la douleur qui te montrera le chemin qui conduit à la tombe. […]

---

notes

1. **une légion** : plusieurs.

2. **échafaud** : structure sur laquelle on décapitait publiquement les condamnés à mort.

L'étude
de l'œuvre

Quelques notions de base

Quelques renseignements sur le genre poétique

En poésie, le sens est suggéré par les images et par le rythme. Il faut donc être attentif aux aspects formels du poème (la forme, les strophes, les vers*, la structure de vers, la disposition et la qualité des vers) ainsi qu'aux images qu'ils développent (les connotations, les figures de style). C'est en tenant compte de l'ensemble de ces éléments que le lecteur du poème pourra avoir accès au réseau de sens.

Les notions développées dans les paragraphes suivants constituent une base élémentaire sur laquelle s'appuyer au moment de l'analyse des poèmes.

Le vers

Le vers est une unité rythmique, disposée sur une ligne, qui contribue à faire avancer la signification du poème. En poésie traditionnelle, le vers devait concorder avec une phrase; quand ce n'est pas le cas, il y a enjambement*, c'est-à-dire débordement de la phrase sur le vers suivant, et on parlera de rejet* si le groupe de mots reporté sur la phrase suivante est très court. Le vers traditionnel comporte un nombre de syllabes en chiffre pair; les plus fréquemment employés sont les vers de huit syllabes, appelés *octosyllabes*, de dix syllabes, appelés *décasyllabes* et de douze, soit l'alexandrin*, le vers par excellence de la poésie française. Les vers impairs (cinq, sept ou neuf syllabes) ont été popularisés par les symbolistes. Le vers se termine par une rime*, qui est dite féminine quand le dernier mot du vers se termine par un e muet et masculine dans tous les autres cas. Il existe aussi des poèmes en vers libres, qui échappent aux règles de la versification classique.

*: *Cf.* Glossaire

La strophe

La strophe est une division du poème qui correspond au paragraphe dans la prose. Dans la poésie traditionnelle, elle présente généralement une unité de signification et s'organise sur un patron de rimes où les rimes féminines alternent avec les masculines. On nomme *quatrain* une strophe de quatre vers et *tercet* une strophe de trois vers. Ainsi, le sonnet* est composé de deux quatrains et de deux tercets, tous en alexandrins.

Le rythme poétique

Plusieurs facteurs contribuent à créer le rythme d'un poème, rythme qui sert en général à soutenir la signification du texte, ou à situer les intentions du poète. La longueur du vers et ses divisions internes (notamment les hémistiches*), les jeux de sonorités (y compris les rimes), la syntaxe, certains procédés stylistiques, comme la répétition, l'énumération, les parallélismes, contribuent à l'effet musical du poème.

L'image poétique

Pratiquement tout texte poétique présente une forte concentration en figures de style. Les trois principales sont la comparaison, la métaphore* et la métonymie. La comparaison associe deux réalités par le moyen d'un mot de liaison ; la métaphore élide le mot de comparaison ; la métonymie effectue des substitutions. Les symbolistes font un usage particulier de ces figures de style en voulant faire en sorte, selon les mots de Baudelaire, que « les parfums, les couleurs et les sons se répondent », ce qui donne un caractère synesthésique* à leurs poèmes, où se combinent les sensations de tous ordres. Verlaine valorise, quant à lui, l'aspect sonore du langage, car il veut que tout poème fasse entendre une musique. Rimbaud, de son côté, met en relief le fait que le matériau à la source de toutes les combinaisons sensorielles possibles est le langage. Il dirige ainsi notre attention sur la forme du poème, qui traduit souvent, plus que le sens, tout l'art du poète.

* : *Cf. Glossaire*

La signification du poème

Comme tout texte, le poème s'organise autour d'un thème, qui relève plus souvent de l'ordre des émotions et des sentiments que de celui des idées, surtout en poésie moderne. Tous les éléments du poème travaillent en quelque sorte de concert pour faire émerger cette signification. Ainsi, un poème est comme une œuvre produite par un orfèvre du vers : la musique et les images y prennent une forme condensée et la beauté se concentre en quelques mots, tous essentiels.

L'étude
des poèmes

Étape préparatoire à l'analyse ou à la dissertation : compréhension du poème en tenant compte du contexte

❶ Analysez la structure formelle du poème.

a) Quels types de vers et de strophes sont utilisés par le poète ?

b) Quelle structure de rimes caractérise ce poème ?

c) Évaluez la qualité des rimes.

d) Selon vous, quel effet recherche Baudelaire en plaçant les termes « encensoir », « reposoir » et « ostensoir » en fin de vers ?

❷ En tenant compte des définitions suivantes, dites à quel genre appartient le poème *Harmonie du soir*.

a) Un sonnet : poème de quatre strophes, composé de deux quatrains et de deux tercets.

b) Un rondeau : poème à forme fixe de treize vers de longueurs variables, fait de trois strophes, dont les deux dernières reprennent le premier hémistiche.

c) Un pantoum : poème dont le deuxième et le quatrième vers du premier quatrain sont repris respectivement en tant que premier et troisième vers du deuxième quatrain.

d) Une chanson de geste : poème épique racontant les exploits d'un chevalier.

❸ Exprimez en vos mots le sens du poème.

❹ Que révèle de ce sens le tout dernier vers, que le reste du poème avait maintenu dans l'ombre ?

❺ Déterminez les termes qui correspondent aux champs lexicaux suivants :

    a) les impressions reliées aux sens (odorat, ouïe, vue) ;

    b) les impressions reliées aux souvenirs ou à la mémoire ;

    c) le vocabulaire religieux.

❻ Comment expliquez-vous en particulier le recours aux termes religieux ? Qu'est-ce que cela révèle du sentiment du poète ?

❼ Figures de style : relevez les comparaisons présentes dans le poème. Parmi les éléments comparés, lesquels reviennent fréquemment ? Que peut-on en conclure ?

❽ Quels effets particuliers tire le poète de l'utilisation de la répétition dans certains vers ?

❾ Parmi les thèmes suivants, lequel ou lesquels, selon vous, sont exprimés par le poème ? Expliquez votre ou vos choix.

    a) La souffrance.

    b) La guerre.

    c) L'amitié.

    d) La beauté.

    e) La nostalgie, le spleen*.

    f) L'érotisme, la sexualité.

.... **Vers la rédaction** ....

❿ Suivez les étapes proposées dans le but de rédiger une introduction qui conviendrait au sujet suivant :

En vous reportant à la définition du spleen baudelairien, démontrez que le poème *Harmonie du soir* en constitue une illustration particulièrement achevée.

     * : *Cf.* Glossaire

a) Parmi les formulations qui suivent, choisissez celle qui pourrait le mieux convenir au «sujet amené».

a. Charles Baudelaire a beaucoup souffert du remariage de sa mère au commandant Aupick, homme sévère et intransigeant.

b. Le XIXe siècle est marqué sur le plan social par l'industrialisation et la montée en force de la bourgeoisie* des affaires.

c. Le symbolisme* est un courant artistique et littéraire qui met au centre de sa vision du monde des correspondances entre les différents niveaux de réalité.

d. Poète de la beauté et de l'horreur, chantre d'un idéal inaccessible et fuyant, Charles Baudelaire a marqué la poésie française du XIXe siècle du sceau indélébile de son génie.

b) Parmi les suivantes, dégagez trois caractéristiques qui vous inspireront pour diviser le sujet.

a. La nostalgie est un des thèmes centraux du poème.

b. Les rimes utilisées dans le poème sont toutes suffisantes ou riches.

c. L'angoisse, l'ennui et la beauté se mêlent pour composer une vision du soir à la fois sombre et heureuse.

d. L'état d'âme du poète lui est inspiré par un sentiment d'inexorabilité du temps qui passe.

e. Le poète propose une vision de la réalité marquée par le merveilleux.

c) Rédigez l'introduction en utilisant vos réponses précédentes de façon pertinente et en complétant le tout pour qu'on y trouve les articulations suivantes, soit le «sujet amené», le «sujet posé» (accompagné d'une courte présentation) et le «sujet divisé».

* : Cf. Glossaire

Harmonie du soir

❶ Montrez que, dans le poème *Harmonie du soir*, Baudelaire établit des correspondances entre la nature et une vision spirituelle de la vie.

a) Formulez en ouverture la phrase clé qui présente l'idée principale du paragraphe.

b) Présentez deux ou trois idées secondaires.

c) Illustrez-les par des citations ou des exemples.

d) Terminez le paragraphe par une phrase de clôture ou une phrase de transition (au choix).

Questionnaires d'analyse

Les fleurs du mal

L'Albatros, page 31

❶ Formulez le sens de ce poème en une ou deux phrases.

❷ Montrez que ce poème se caractérise par une double comparaison. À qui est comparé l'albatros dans les trois premières strophes?

❸ Par quels termes se traduit l'opposition entre verticalité et horizontalité?

❹ Dressez un tableau en deux colonnes des expressions qualifiant l'albatros, en plaçant les positives à gauche et les négatives à droite. Expliquez en quoi ce réseau d'antithèses crée une impression tant de sublime que de pitoyable.

❺ Expliquez le caractère allégorique de ce poème et le sens qui se dégage de l'association de l'albatros au poète.

❻ Est-il juste de dire que ce poème permet de comprendre la dénomination de poète maudit rattachée à Baudelaire?

Correspondances, page 32

❶ Analysez le réseau des images en répondant aux questions suivantes.

a) Quelle est la figure de style à connotation religieuse au vers 1?

b) Quelle est la figure de style utilisée dans les deux vers suivants: «Comme de longs échos qui de loin se confondent \\ Les parfums, les couleurs et les sons se répondent»?

c) Quelle est la figure de style du vers suivant: «Vaste comme la nuit et comme la clarté»?

d) À vos yeux, la grande richesse en figures de style de ce poème est-elle justifiée ?

e) En quoi les tercets illustrent-ils l'affirmation du vers suivant : « Les parfums, les couleurs et les sons se répondent » ?

❷ Quelle est la sensation dominante dans ce réseau de notations sensorielles ? Justifiez votre réponse.

❸ La synesthésie implique la combinaison en une seule figure de plusieurs sensations. Trouve-t-on dans ce poème des exemples de ce procédé ?

❹ Ce poème répond-il aux normes du sonnet ?

❺ Est-il juste d'affirmer que le titre que Baudelaire lui a donné est justifié par le poème ?

La beauté, page 33

❶ Étudiez la versification de ce poème : la longueur et la disposition des vers, les rimes et le rythme.

❷ Montrez que la personnification de la beauté se prolonge sur plusieurs vers.

❸ Dans le deuxième quatrain, par quels termes le poète exprime-t-il la supériorité et le pouvoir de la beauté ?

❹ Montrez que tout le poème est traversé par un ensemble de notations qui contribuent à sa tonalité nostalgique.

L'idéal, page 34

❶ Analysez le sens du poème en répondant aux questions suivantes.

a) Comment Baudelaire traduit-il en mots son attitude de rejet ?

b) Relevez les références culturelles qui traversent le texte. En quoi servent-elles le propos de Baudelaire ?

❷ Ce poème correspond-il aux normes du sonnet ?

❸ Est-il juste d'affirmer que ce texte a un caractère provocateur ? Justifiez votre réponse par des explications et des exemples.

La Chevelure, pages 35 et 36

❶ Analysez la signification du poème en répondant aux questions suivantes.

   a) Relevez le champ lexical de la chevelure.

   b) La maîtresse de Baudelaire était créole. Montrez que plusieurs notations suggèrent ce fait.

   c) Peut-on dire que la chevelure de l'amante agit sur le poète comme une invitation au voyage ? Démontrez-le.

   d) Montrez que la chevelure de l'amante permet au poète de s'élever vers le rêve.

❷ Des oxymores et synesthésies permettent des correspondances dans ce poème. Relevez deux exemples d'oxymore et deux exemples de synesthésie (figure de style combinant plusieurs sensations).

❸ Montrez que la diversité syntaxique (observez la ponctuation) et les énumérations contribuent à varier le rythme du poème.

❹ Est-il juste d'affirmer que les vers suivants constituent en quelque sorte le pivot du poème : « Un port retentissant où mon âme peut boire \\ À grands flots le parfum, le son et la couleur » ?

❺ Y a-t-il des liens entre ce poème et celui des *Correspondances* ?

Chant d'automne, pages 37 et 38

❶ Analysez la structure de ce poème en répondant aux questions suivantes.

   a) Pour quelle raison le poème est-il divisé en deux parties ?

   b) Comment chaque quatrain contribue-t-il à faire avancer la signification du poème ?

❷ Analysez le sens du poème en répondant aux questions suivantes.

a) Expliquez comment agit le changement de saison sur le moral du poète.

b) En vous appuyant notamment sur les champs lexicaux, démontrez que la mort est le thème prédominant de ce poème.

❸ Penchez-vous sur la rhétorique du texte en répondant aux questions suivantes.

a) Quelle personnification évoque la mort de façon tragique ?

b) Montrez que Baudelaire cherche à faire entendre des bruits variés par les mots.

c) Relevez les allusions aux couleurs qui transforment en quelque sorte le poème en toile.

❹ Peut-on dire que l'amante se présente comme un facteur d'apaisement ou, au contraire, comme un facteur de contrariété ? Justifiez votre réponse.

❺ En vous appuyant sur ce poème, pouvez-vous affirmer que le poète se veut à la fois un peintre et un musicien du langage ?

L'Invitation au voyage, pages 39 et 40

❶ Analysez la signification du poème en répondant aux questions suivantes.

a) Quel est le locuteur du poème ? Quelles sont les caractéristiques de la femme à qui il s'adresse ?

b) Quel thème domine dans chacune des trois strophes du poème ? Justifiez votre choix.

c) Peut-on dire que le poème se développe tel un triptyque, c'est-à-dire une toile dont les paysages et les couleurs varieraient d'une partie à l'autre ?

d) Relevez un ou deux vers illustrant chacune des valeurs présentes dans le refrain, soit l'ordre, la beauté, le luxe, le calme et la volupté.

❷ Dressez la liste des sensations auxquelles se réfère Baudelaire dans ce texte. Peut-on dire que ce poème illustre l'idée des correspondances sensorielles propres au symbolisme ?

❸ Étudiez la musicalité de ce poème : choix des vers, jeu des sonorités, des répétitions, etc.

❹ Peut-on dire de ce poème qu'il illustre d'une certaine façon la thématique du spleen, de la fuite devant la réalité ? Justifiez votre réponse.

L'Horloge, pages 41 et 42

❶ Montrez comment ce poème, dans sa forme et dans son lexique, évoque une mécanique d'horloge.

❷ Relevez les personnifications qui traversent le texte et montrez que le temps y est figuré comme un monstre.

❸ Relevez tous les verbes à l'impératif et expliquez leurs effets sur le lecteur.

❹ Expliquez comment Baudelaire arrive à susciter l'impression de l'urgence en saccadant le rythme du poème.

❺ Montrez que la tonalité pessimiste domine dans ces vers, qui suggèrent une vision lugubre de la condition humaine. Justifiez votre point de vue.

❻ En quoi ce poème déroge-t-il à l'idée que l'on se fait traditionnellement de la poésie, soit d'être associée à la beauté du monde ?

Une charogne, pages 43 à 45

❶ Démontrez le caractère narratif de ce poème en dégageant les aspects suivants : les personnages, le déroulement des événements et la thématique.

❷ Quelles expressions désignent la charogne ? Relevez le champ lexical de la décomposition.

❸ Est-il juste d'affirmer que ce poème explore tout le registre sensoriel ? Apportez des preuves à l'appui de votre réponse.

❹ À qui s'adressent les trois dernières strophes du poème ? En quoi ce passage est-il provocateur ? Retrouve-t-on, ailleurs dans le texte, des vers qui viseraient aussi à provoquer le lecteur ? Justifiez votre choix.

❺ Quels sont les vers qui se rapportent au travail du poète ?

❻ Ce poème illustre-t-il la conception de Baudelaire concernant l'artiste à qui, seul, reviendrait le pouvoir de créer la beauté ?

Le chat, page 46

❶ Comment le poète inscrit-il sa présence dans le texte ?

❷ Montrez que tout le texte repose sur une analogie entre le chat et l'amante. Relevez notamment le vers qui justifie cette affirmation.

❸ En quoi le chat et la bien-aimée sont-ils décrits comme des êtres ambivalents ?

❹ Ce texte répond-il aux normes du sonnet ? Relevez les principales dérogations, le cas échéant.

❺ En quoi cet anticonformisme formel convient-il à la nature du poème ?

Alchimie de la douleur, page 47

❶ Relevez les différents synonymes de l'obscurité (référence au spleen).

❷ Quelle rime (oxymore), au premier quatrain, associe la vie à la mort ?

❸ Quelles sont les références à l'Antiquité ?

❹ À quelle allégorie* renvoie la symbolique alchimiste dans ce poème ?

Le Coucher du soleil romantique, page 49

❶ Comment est décrit le lever du soleil dans le premier quatrain ?

❷ Quels sont les premiers indices de la mélancolie du poète ?

* : *Cf.* Glossaire

❸ Est-il possible que Baudelaire se moque du romantisme* en réunissant dans ce sonnet tous ses archétypes* ?

L'âme du vin, pages 50 et 51

❶ Expliquez le contexte d'énonciation. Relevez les passages qui se rapportent à des personnages. Peut-on dire que certains éléments renvoient à l'univers du conte ?

❷ À quoi renvoie « ma prison de verre » dans le premier quatrain ? Expliquez cette métaphore.

❸ Relevez les termes qui font référence à la personnification du vin au quatrième quatrain.

❹ Quels pouvoirs sont conférés au vin dans les deux dernières strophes ?

❺ Relevez le champ lexical du divin.

❻ Expliquez le caractère provocateur de ce poème.

La mort des pauvres, page 52

❶ Montrez que l'évocation de la mort est ici paradoxale et, par le fait même, provocatrice.

❷ Relevez les contrastes présents dans le deuxième quatrain. Comment contribuent-ils à la tonalité du texte ?

❸ Relevez la métaphore biblique dans le dernier tercet.

❹ Peut-on dire que le texte ironise indirectement sur la religion qui proposerait des refuges illusoires aux pauvres ?

❺ Expliquez en quoi ce poème illustre la vision pessimiste que se fait Baudelaire de l'existence humaine.

* : *Cf.* Glossaire

Petits poèmes en prose : Le Spleen de Paris

L'Étranger, page 54

❶ Comment s'organise l'interrogatoire dans ce poème ? Quels sont les contrastes que l'on peut relever entre les questions et les réponses ? En quoi cette disposition contribue-t-elle au caractère lapidaire du poème ?

❷ Certains éléments traduisent la solitude et le refus de toute relation affective. Quels sont-ils ?

❸ Comment le poète définit-il la beauté ?

❹ En quoi la dernière réponse constitue-t-elle un pied de nez au reste du poème ? Pourquoi ce vers évoque-t-il l'activité du poète ? En quoi cette réponse ferait-elle du poète un étranger ?

❺ En quoi ce poème a-t-il tout pour étonner le lecteur contemporain de Baudelaire ?

L'Invitation au voyage (version en prose), pages 55 à 57

❶ Comment le pays imaginé est-il décrit ? À quelles sensations l'auteur fait-il référence lorsqu'il le décrit ?

❷ Quels sont les procédés (dès les premières lignes) qui renvoient à un pays mythique ?

❸ À qui le pays rêvé est-il explicitement comparé au deuxième paragraphe ?

❹ Comment est décrite la femme idéale, sorte de muse de l'auteur ?

❺ Quels autres éléments contribuent au caractère imagé et musical de ce poème ?

Comparaison avec la version en vers

❻ Comparez cette version en prose de *L'Invitation au voyage* avec la version en vers (p. 39-40). Tenez compte des aspects suivants.

 a) Le sens du poème : contexte d'énonciation, thématique, champs lexicaux, tonalité générale.

 b) Les images : figures de style, registre sensoriel.

 c) Le rythme : jeux avec les sonorités, emploi de procédés comme la répétition et l'énumération, observation de la syntaxe et de la ponctuation.

❼ Le poème en prose est-il doté d'un pouvoir d'évocation équivalent à celui du poème versifié ?

Enivrez-vous, page 58

❶ Quels éléments font référence à l'effet éphémère de l'ivresse ?

❷ Que symbolise l'horloge dans ce poème ?

❸ Trois formes d'ivresse sont suggérées par l'auteur. Laquelle semble la plus insolite ?

❹ En quoi le texte est-il provocateur ? Va-t-il à l'encontre des valeurs de l'époque ?

❺ Quels procédés contribuent à assurer la musicalité du poème ?

❶ Analysez la structure formelle du poème *Clair de lune*.

   a) Quels types de vers et de strophes sont utilisés par le poète ?

   b) Quelle structure de rimes caractérise ce poème ?

   c) Évaluez la qualité des rimes.

   d) Que remarquez-vous de particulier aux vers 3 et 4 qui ne se retrouve pas dans le reste du poème ?

❷ Relevez trois figures de style de nature différente et dites à quelle catégorie elles appartiennent. Justifiez votre réponse.

❸ Dites en vos mots ce que raconte le poème.

❹ Expliquez en quoi l'utilisation répétée de la conjonction *et* peut être associée au thème de la danse.

❺ Verlaine se joue de la contradiction entre l'apparence gaie des personnages et leurs sentiments plutôt sombres. Parmi les vers suivants, lesquels permettent d'illustrer cette affirmation ?

   a) « Quasi tristes sous leurs déguisements fantasques ».

   b) « Et leur chanson se mêle au clair de lune ».

   c) « Les grands jets d'eau sveltes parmi les marbres ».

❻ Dans la première strophe, identifiez les éléments qui contribuent à créer une atmosphère de fête et de magie.

❼ Selon vous, quel vers amorce un changement dans la perception que le lecteur a des personnages ? Expliquez votre réponse.

❽ Quelle est selon vous la symbolique du clair de lune évoqué par Verlaine ?

Vers la rédaction

❾ En quoi est-il possible de dire que ce poème établit une correspondance entre le paysage et un état d'âme ? Formulez trois idées principales qui évoquent cette filiation.

Rimbaud dessiné par Verlaine.

Questionnaires d'analyse

Jadis et naguère

Art poétique*, pages 63 et 64

❶ Relevez les termes appartenant au champ lexical du son et de la musique. Traduisez en vos mots la pensée de Verlaine sur le rythme poétique.

❷ Quelle pratique poétique Verlaine rejette-t-il dans ce poème ?

❸ Relevez quatre métaphores à caractère synesthésique.

❹ Le poème applique-t-il les idées suivantes ?

a) « De la musique avant toute chose ».

b) « Et pour cela préfère l'Impair ».

*: Cf. Glossaire

Poèmes saturniens

Nevermore, page 66

❶ Pourquoi peut-on dire que la tonalité de ce poème est nostalgique ? Pour répondre à cette question, observez le titre, les choix lexicaux, les temps de verbes et les figures de style.

❷ Quelle représentation est donnée ici de la femme et de l'amour ? Quels sont les éléments révélateurs d'un amour platonique ?

❸ Verlaine est le poète de la musicalité : comment le poème témoigne-t-il de ce fait ? Est-il traversé par d'autres sensations ?

Mon Rêve familier, page 67

❶ Analysez le sens du poème en répondant aux questions suivantes.

a) Quels sont les éléments syntaxiques et lexicaux qui témoignent de l'implication de l'auteur dans ce poème ?

b) Est-il vrai que la femme représentée ici conserve son mystère ? Illustrez votre réponse.

c) Quelle vision de l'amour se dégage finalement de ce poème ?

❷ Étudiez la musicalité du poème en observant notamment le jeu des sonorités, des répétitions, des énumérations et des parallélismes.

❸ Comment le thème de la mort est-il évoqué dans le texte ? Comment cette évocation contribue-t-elle à la tonalité du texte ?

❹ Ce poème illustre-t-il la préoccupation dominante de Verlaine, soit que le vers serve « à faire de la musique avant toute chose » ?

À une Femme, page 68

❶ Observez le contexte d'énonciation de ce poème en identifiant le locuteur et le destinataire du texte. Comment se distinguent-ils l'un de l'autre ?

❷ Peut-on affirmer que la tonalité de ce texte est tout en contraste ? Appuyez votre réponse sur des exemples.

❸ Comment Verlaine s'y prend-il pour évoquer des sons variés ? Peut-on dire que la nature participe à cette complainte ?

Chanson d'Automne, page 69

❶ Analysez le lyrisme* du poème en relevant les marques du locuteur et les expressions qui témoignent de la sensibilité, et en observant la participation de la nature à la tonalité du texte.

❷ Comment est organisé ce poème ? Observez le rapport entre la syntaxe et la métrique. Montrez que le dernier vers de chaque strophe résume en quelque sorte le texte.

❸ En quoi le poème traduit-il le fatalisme de Verlaine, sa tendance à la passivité ?

❹ Expliquez en quoi ce poème se présente comme un exemple de virtuosité, une sorte d'exploit poétique.

Soleils couchants, page 70

❶ Comment le paysage participe-t-il à la mélancolie du poème ?

❷ Analysez comment Verlaine s'appuie sur les répétitions pour créer un rythme mélancolique.

❸ Quels mots employés par Verlaine se rapportent à la musique ?

❹ Peut-on dire de ce poème qu'il illustre l'art des correspondances ?

❺ Relevez le champ lexical de la folie.

* : *Cf.* Glossaire

Paul Verlaine

Romances sans paroles

Ariettes oubliées I, page 72

❶ Relevez les expressions qui personnifient la nature dans la première strophe.

❷ Montrez que Verlaine joue ici avec des oxymores, des répétitions et des parallélismes pour arriver à produire un effet musical ; montrez aussi que la musique imprime sa marque dans le choix lexical.

❸ Expliquez la manière dont l'ambivalence dans les émotions est exprimée dans ce poème.

Ariettes oubliées III, page 73

❶ Quelle répétition lexicale donne l'effet d'un écho dans ce poème ?

❷ Montrez comment la tristesse fait naître métaphores, comparaisons et parallélismes tout au long du poème.

❸ Comment l'eau participe-t-elle à la signification du poème ?

❹ Peut-on dire que ce poème illustre le spleen baudelairien ? Illustrez votre réponse en vous appuyant notamment sur le champ lexical.

Walcourt, page 74

❶ Peut-on dire de plusieurs vers qu'ils illustrent une organisation binaire ?

❷ Quelle tonalité se dégage des sensations décrites par le poète ?

❸ Quels sont les thèmes évoqués ?

Spleen, page 75

❶ Comment Verlaine traduit-il le caractère féminin et le sien propre dans ce poème ?

❷ À la troisième strophe, quels éléments montrent un rapport douloureux au temps (propre au spleen) ?

❸ Comment l'excès est-il reflété à travers le poème ? Relevez les éléments syntaxiques qui l'évoquent.

Questionnaire sur le texte de Rimbaud, Le Bateau ivre

❶ Analysez la structure formelle du poème.

   a) Quels types de vers et de strophes sont utilisés par le poète ?

   b) Quelle structure de rimes caractérise ce poème ?

   c) Évaluez la qualité des rimes (dans les deux premières strophes).

❷ Quelle aventure semble relater le poème ? Quel lien peut être établi entre cette aventure et la biographie du poète ?

❸ Repérez, dans le poème, des éléments se rapportant aux champs lexicaux suivants :

   a) la nature, l'univers ;

   b) les sens ;

   c) les couleurs.

❹ Montrez que tout en restant assez classique sur le plan de la forme (versification), le poème innove considérablement sur le plan des images projetées.

❺ Rimbaud a écrit : « Le poète se fait voyant* par un long, immense et raisonné dérèglement de tous les sens. » Montrez que *Le Bateau ivre* est en quelque sorte une illustration de cette affirmation.

Émile Nelligan, *Le Vaisseau d'or*

Émile Nelligan est né à Montréal en 1879. Il est le premier poète moderne du Québec en ce sens que sa poésie est plus

* : *Cf.* Glossaire

psychologique qu'idéologique. Il met en poésie l'angoisse, la folie, la détresse. Il a composé son œuvre, la plus originale du XIXe siècle québécois, avant d'avoir vingt ans. À cet âge, il est interné sous le diagnostic de dégénérescence mentale. Il est demeuré à l'asile jusqu'à sa mort en 1941.

> C'était un grand Vaisseau taillé dans l'or massif :
> Ses mâts touchaient l'azur, sur des mers inconnues ;
> La Cyprine d'amour, cheveux épars, chairs nues,
> S'étalait à sa proue, au soleil excessif.
>
> 5   Mais il vint une nuit frapper le grand écueil
> Dans l'Océan trompeur où chantait la Sirène,
> Et le naufrage horrible inclina sa carène
> Aux profondeurs du Gouffre, immuable cercueil.
>
> Ce fut un Vaisseau d'Or, dont les flancs diaphanes
> 10 Révélaient des trésors que les marins profanes,
> Dégoût, Haine et Névrose, entre eux ont disputés.
>
> Que reste-t-il de lui dans la tempête brève ?
> Qu'est devenu mon cœur, navire déserté ?
> Hélas ! Il a sombré dans l'abîme du Rêve !

Questionnaire sur le texte de Nelligan, Le Vaisseau d'or

❶ Analysez la structure formelle du poème.

   a) Quels types de vers et de strophes sont employés par le poète ?

   b) Quelle structure de rimes caractérise ce poème ?

   c) Évaluez la qualité des rimes (dans les deux premières strophes).

   d) À quel genre appartient le poème ?

❷ Cherchez le sens des termes suivants : *Cyprine*, *carène*, *diaphane*.

❸ Que représente le « Vaisseau » dans le poème ? Expliquez votre réponse en montrant que le poète recourt à une *métaphore filée*.

❹ Selon vous, quel est le sens du vers «Hélas! Il a sombré dans l'abîme du Rêve!»? Quel lien pouvez-vous faire avec la biographie de Nelligan?

.... **Vers la rédaction – Analyse croisée** ....

Faites un plan de rédaction sur un des sujets suivants.

❶ Montrez comment, dans les deux poèmes, le bateau est utilisé comme une métaphore du poète.

❷ Commentez l'affirmation suivante: «*Le Vaisseau d'or* de Nelligan constitue une pâle imitation du *Bateau ivre* de Rimbaud.»

❸ Montrez comment chacun des deux poèmes illustre les caractéristiques du symbolisme.

Conseils:

- En **introduction**, n'oubliez pas de présenter les extraits et d'annoncer les parties de votre développement.

- Pour le **développement**, faites ressortir les ressemblances et les différences entre les textes, et illustrez vos arguments à l'aide de citations ou d'exemples.

- En **conclusion**, rappelez la question, les œuvres et assurez-vous de présenter une synthèse de vos principaux arguments.

Arthur Rimbaud

Questionnaires d'analyse

Poésies

Voyelles, page 81

❶ Chez Baudelaire, les parfums sont souvent à la source des correspondances. Est-il juste de dire que, chez Rimbaud, c'est le langage lui-même qui en est la source ? Appuyez votre réponse sur des exemples.

❷ Rimbaud fait-il des correspondances impliquant tout le registre sensoriel (la vue, le goût, le toucher, l'olfaction, l'audition) ? Relevez et classifiez tous les termes qui y renvoient.

❸ Rimbaud invente plusieurs mots comme « bombiner », « vibrement », « viride » et « strideur ». Pour quelle(s) raison(s) ? Cela peut-il avoir quelque chose à voir avec les pouvoirs qu'il veut s'octroyer comme poète ?

❹ Peut-on dire de ce poème que l'auteur y fait évoluer la poésie dans le sens de l'abstraction ? Si c'est le cas, comment le fait-il ?

Les Poètes de sept ans, pages 82 à 84

❶ Ce poème prend l'allure d'un récit versifié. Démontrez-le en faisant le portrait des principaux personnages et en énumérant les événements qui s'y déroulent.

❷ Comment se traduit l'hypocrisie de la relation mère-fils, fil conducteur de ce poème ?

❸ En quoi le poème évoque-t-il le thème de l'évasion ? Cette thématique est-elle suggérée ailleurs dans le recueil ?

Les Assis, pages 90 et 91

❶ Quels sont les éléments lexicaux mettant en relief l'aspect repoussant des créatures décrites ?

❷ Relevez le vocabulaire anatomique et celui de sa dégradation. Comment le poète exprime-t-il en outre l'aspect maléfique de ces créatures ?

❸ Les assis sont principalement décrits par leur aspect physique ; néanmoins, des termes renvoient à leur intériorité. Quels sont-ils ?

❹ En quoi le poème *Les Assis* est-il une dénonciation de l'ordre bourgeois des années 1870 ?

Mes petites amoureuses, pages 92 à 94

❶ En quoi le premier quatrain semble-t-il entrer en contradiction avec le titre ?

❷ Comment peut-on percevoir le dégoût à travers ce poème ? Relevez le champ lexical qui s'y rattache.

❸ Quelle métaphore est utilisée à la huitième strophe pour évoquer le rejet du souvenir de ses anciennes amours ?

❹ Quel terme donne une impression de litanie ?

❺ En quoi ce poème exhale-t-il une forme de misogynie ?

Arthur Rimbaud

Les Cahiers de Douai

Bal des pendus, pages 96 à 98

❶ En vous appuyant sur les quatrains initial et final, montrez que la structure de ce poème est circulaire.

❷ Quels sont les éléments renvoyant aux sens auditif, visuel et tactile ?

❸ De nombreux termes font allusion au corps, quels sont-ils ?

❹ Relevez les éléments faisant référence au grotesque dans ce poème, aux tons sarcastique et humoristique.

Au Cabaret-Vert, cinq heures du soir, page 99

❶ Quelles références donnent un caractère de récit autobiographique au poème ?

❷ Relevez les éléments renvoyant au bien-être et à la détente du poète.

❸ Expliquez le caractère provocateur de la description de la serveuse. En quoi cela traduit-il quelque chose du propre caractère du poète ?

❹ En étudiant les rejets et les enjambements, montrez que le sonnet s'éloigne définitivement de la forme classique.

Roman, pages 100 et 101

❶ Que veut transmettre le poète en commençant et en achevant son poème par « On n'est pas sérieux, quand on a dix-sept ans » sur les sentiments à cet âge bien précis ?

❷ Relevez les figures de style à caractère synesthésique.

❸ Peut-on dire de ce poème, par plusieurs aspects, qu'il se présente comme un court récit ? Justifiez votre réponse.

Ma bohème* (fantaisie), page 102

❶ Quels indices signalent le caractère autobiographique du poème ?

❷ En quoi la nature joue-t-elle un rôle réconfortant et protecteur auprès du poète ?

❸ Quelles sont les fantaisies verbales utilisées par le poète (jeu sur les registres familier et plus soutenu) ?

❹ Ce sonnet désarticule volontairement les alexandrins (notamment par des rejets et des enjambements). Démontrez-le. En quoi cela peut-il indiquer un désir de rupture avec la tradition ?

Le Dormeur du val, page 103

❶ Quel est le thème du premier quatrain ? Relevez les termes s'y rattachant.

❷ Comment la thématique de la mort pénètre-t-elle subtilement le sonnet ?

❸ À la lecture du dernier vers, pourquoi peut-on parler d'euphémisme pour le terme « il dort », répété au fil du poème ? Pourquoi peut-on évoquer un renversement tragique de tonalité ?

❹ Comment Rimbaud s'y prend-il pour briser le rythme régulier de l'alexandrin ? Pourquoi peut-on dire de ce rythme, tout en rupture, qu'il véhicule une forme de révolte chez Rimbaud ?

* : *Cf.* Glossaire

Arthur Rimbaud

Une saison en enfer

[Extrait], page 105

❶ Quels sont les indices d'un récit autobiographique dans ce poème ?

❷ Quel marqueur temporel imprime une rupture avec un temps heureux et révolu ?

❸ Par quels procédés stylistiques l'auteur décrit-il son enfer ?

❹ L'expression familière « sur le point de faire le dernier couac ! » (vers 17 et 18) ferait référence à quel épisode de la vie de Rimbaud ?

Tristan Corbière, analyse détaillée d'Épitaphe, pages 116 à 118

❶ Analysez la structure formelle du poème *Épitaphe*.

a) Quels types de vers et de strophes sont utilisés par le poète ?

b) Quelle structure de rimes caractérise ce poème ?

c) Évaluez la qualité des rimes.

❷ Cherchez d'abord le sens du mot « épitaphe ». Comment sa définition nous aide-t-elle à comprendre les intentions poursuivies par l'auteur en écrivant ce poème ?

❸ Expliquez le sens des expressions utilisées dans la deuxième strophe : « naquit par aucun bout » ; « poussé vent-de-bout » ; « un arlequin-ragoût » ; « mélange adultère de tout ».

❹ À quel genre littéraire parmi les suivants peut-on associer le poème ? Expliquez brièvement votre réponse.

    a. La lettre.

    b. Le journal.

    c. L'autobiographie.

    d. L'hagiographie.

❺ Identifiez les vers qui tirent leur effet de l'utilisation de mots de sens contraires. Comment expliquer un usage d'antonymes aussi systématique par Corbière ?

❻ Démontrez l'importance du rythme dans ce poème. Comment le qualifieriez-vous ? Peut-on établir un lien entre ce rythme et l'usage d'antonymes ?

❼ Quel portrait de l'homme que Tristan Corbière était le poème contribue-t-il à peindre ?

.... **Vers la rédaction** ....

❽ Montrez en quoi le poème *Épitaphe* correspond tout à fait à la description du poète maudit.

Questionnaires d'analyse

Les Amours jaunes

À l'Éternel Madame, page 108

❶ Quels sont les qualificatifs utilisés par Corbière dans ce poème pour désigner les femmes? Quelle vision de «l'éternel féminin» résulte de ce choix lexical?

❷ Comment décririez-vous le rythme de ce poème? Quels éléments contribuent à faire de ce rythme ce qu'il est?

❸ À quoi se réfère Corbière quand il écrit: «Quand le poète brame en *Âme*, en *Lame*, en *Flamme*!»? Qu'est-ce que cela nous révèle de la manière dont il envisage la poésie amoureuse?

Steam-Boat, pages 109 et 110

❶ En quoi la dédicace «À une passagère» se présente-t-elle comme la métaphore d'une expérience amoureuse éphémère?

❷ Étudiez l'expression du lyrisme dans le texte, et dites notamment quels portraits se dégagent du poète et de sa destinataire.

❸ Les thématiques de la terre et de la mer s'opposent dans ce poème. Démontrez-le.

❹ À quoi la «boîte» (vers 35) fait-elle référence?

❺ Comment le dernier vers de chaque strophe contribue-t-il au rythme du poème?

Insomnie, pages 111 et 112

❶ «Insomnie, impalpable Bête»: montrez que tout le texte fait dériver le sens vers un effet de personnification féminine.

❷ Quelle est la tonalité dominante de ce poème ? Justifiez votre point de vue.

❸ Relevez le double sens de l'expression «mauvais œil» au vers 4, et montrez qu'effectivement le poème fait référence au maléfique.

Bonsoir, page 113

❶ Quel trait de caractère de la «caillette» est décrit aux vers 1 et 2 ?

❷ L'«astre jaune» a une valeur péjorative dans ce poème. Quels sont les termes qui s'y rattachent ?

❸ En quoi les interruptions aux vers 12 à 14, en lien avec le titre, font-elles référence à une rupture ?

Vendetta, page 114

❶ Quels sont les termes renvoyant à la vengeance dans ce poème ?

❷ Quelle formule de réconciliation est employée ironiquement par l'amant-poète ?

❸ Le poète se compare à des animaux repoussants et dangereux. Quels sont-ils et que symbolisent-ils ?

Le Crapaud, page 115

❶ Ce poème adopte-t-il la forme d'un sonnet inversé ? Expliquez.

❷ Le crapaud semble être un animal paradoxal, capable d'être à la fois attirant et repoussant.

a) Comment est-il décrit dans ce poème ? Comment s'effectue le rapprochement avec le poète ?

b) Quel oxymore traduit la laideur du poète ? Peut-on dire de cet autoportrait qu'il se fait sur le mode de l'autodérision ?

❸ La ponctuation permet-elle de mieux saisir comment le rythme peut traduire les émotions du poète ?

Petit mort pour rire, page 119

❶ Dites à quelle forme traditionnelle appartient ce poème : sonnet – fabliau – rondel – ballade.

❷ Comment est présenté le thème de la mort dans ce poème ?

❸ Montrez que des liens peuvent être établis entre ce poème et le titre du recueil dont il est tiré : *Les Amours jaunes*.

Un Sonnet (avec la manière de s'en servir), page 120

❶ Quel ton est suggéré par le titre et l'épigraphe ?

❷ Quel jeu de mots l'auteur utilise-t-il au premier vers ?

❸ Relevez les éléments renvoyant au calcul arithmétique.

❹ Peut-on dire que ce poème constitue une déclaration de guerre au sonnet ?

Rondel*, page 121

❶ Relevez les caractéristiques du rondel (forme archaïsante renvoyant au rondeau).

❷ Quels procédés sont évocateurs d'une berceuse pour enfants ?

❸ Quels sont les éléments qui traduisent la solitude de l'enfant ?

❹ Quel élément rappelle au lecteur les fables de La Fontaine ?

❺ Analysez le contraste de tonalités qui s'opère entre le pathétique et le tragique.

Le Mousse, page 122

❶ Quelle histoire raconte ce poème ? Quelle fonction jouent les nombreux tirets dans la manière dont cette histoire nous est relatée ?

* : *Cf.* Glossaire

❷ Quel vers de la première strophe nous indique que la mort y est un des principaux thèmes ? Expliquez votre réponse.

❸ Pour quelle(s) raison(s) est-il possible d'affirmer que *Le Mousse* se termine sur une note ironique ?

❶ En l'absence de vers réguliers et de rimes, qu'est-ce qui confère à ce texte son caractère poétique, selon vous ?

❷ Dites en vos mots ce que raconte le poème. Comment l'idée du mal y est-elle exprimée ?

❸ À la lecture de l'extrait, quel caractère prêteriez-vous à Maldoror, le narrateur de ces lignes ?

❹ Quelle conception de la nature y est révélée ?

❺ Quelle figure de style est surtout utilisée par le poète ? Donnez-en des exemples.

.... **Vers la rédaction** ....

❻ Étudiez le caractère provocateur du texte.

L'étude de l'œuvre dans une démarche plus globale

La démarche proposée ici peut précéder ou suivre l'analyse par poème. Elle apporte une connaissance plus synthétique du livre à l'étude; elle met l'accent sur la compréhension du recueil dans son unité. Les deux démarches peuvent être exclusives ou complémentaires.

Suivez la démarche ci-après, qui tient compte des composantes du recueil poétique, soit:

a) la thématique;

b) les représentations (poète, femmes, révolte, malédiction);

c) les tonalités;

d) le symbolisme.

Thématique

❶ Relevez les trois thèmes que vous jugez les plus importants parmi les suivants: l'amour, la mort, le spleen, le voyage, l'art, Dieu et la religion, la ville, la femme et le temps, la beauté, le mal, l'exclusion, la souffrance.

❷ Dressez un bilan de la vision du monde, de l'art et de la poésie qui se dégage des œuvres à l'étude.

Représentations

❶ Le poète

a) Comment pourriez-vous définir ce qu'est un poète à la lumière de ce que vous venez de lire ?

b) Les cinq poètes rassemblés dans ce recueil sont considérés comme *maudits* : comment le recueil témoigne-t-il diversement de cette réalité ?

c) Comment résumeriez-vous la conception que se font *les poètes maudits* de l'art et de la poésie ?

❷ Les femmes et l'amour

a) Quelle image de la femme ressort tout particulièrement du recueil ?

b) L'amour est-il un thème important pour tous les poètes rassemblés ici ?

❸ La révolte

a) Trouvez les poèmes qui illustrent le sentiment de révolte vécu par les poètes.

b) Quelle semble être la source principale de cette révolte ? À l'encontre de quoi s'exerce-t-elle ?

❹ Le mal

a) Quelle perception se dégage du mal et de la malédiction dans ce recueil ?

b) Le malheur est-il toujours un sentiment lié à la souffrance, ou arrive-t-il qu'il engendre des effets bénéfiques ? Expliquez votre réponse.

❺ La marginalité

a) Plusieurs poèmes du recueil contiennent le thème de la marginalité. Quels sont-ils ?

b) La figure du marginal est-elle généralement connotée positivement ou négativement ?

Tonalités

❶ Lyrique

  a) Quelles sont les émotions dominantes dans le recueil?

  b) Relevez des figures de style qui vous semblent illustrer avec justesse chaque émotion.

❷ Tragique

  a) Décelez, dans le recueil, quelques poèmes dont la tonalité tragique est dominante.

  b) Comment s'exprime le sentiment tragique dans ces poèmes?

❸ Ironique

  a) Identifiez quelques poèmes dans le recueil dont l'ironie* est la tonalité dominante.

  b) Quelles ressources formelles sont utilisées par le poète pour exprimer cette ironie?

Symbolisme

❶ Montrez que le recueil *Les poètes maudits et le symbolisme* illustre toutes les caractéristiques du symbolisme.

❷ Plusieurs des poètes présentés dans le recueil innovent sur le plan de la forme. Démontrez-le.

* : *Cf.* Glossaire

Sujets d'analyse et de dissertation

Plusieurs **pistes d'analyse portant sur l'œuvre complète** sont maintenant accessibles, et certaines plus faciles à emprunter que d'autres. Pour favoriser votre progression vers le plan, les premiers sujets ont été partiellement planifiés (comme suggestion d'exercices : compléter ou détailler ces plans) ; en revanche, les derniers sujets laissent toute la place à l'initiative personnelle.

❶ Démontrez que le recueil *Les poètes maudits et le symbolisme* est caractéristique à plus d'un titre de l'esprit du symbolisme.

Esquisse de plan pour le développement.

Introduction

Sujet amené : puisez un trait caractéristique de la vie des poètes maudits dans le contexte historique du XIXe siècle.

Sujet posé : reformulez le sujet en vous assurant de bien définir le symbolisme.

Sujet divisé : prévoyez un court résumé et annoncez les idées directrices des trois paragraphes du développement.

Développement

- Dans le premier paragraphe, identifiez les thèmes que le recueil *Les poètes maudits et le symbolisme* partage avec le symbolisme (par exemple, les correspondances entre divers ordres de réalité).

- Dans le deuxième paragraphe, montrez le caractère provocateur du symbolisme.

- Dans le troisième paragraphe, concentrez-vous sur les innovations dont font preuve les poètes sur le plan de la forme.

- Idée synthèse : faites un retour sur les grandes articulations du développement en veillant à maintenir l'intérêt du lecteur.

- Idée d'ouverture : allez chercher une idée dans la description de l'époque.

❷ **Commentez l'énoncé suivant : «** *Les poètes maudits* **expriment dans leurs poèmes le refus des règles sociales aussi bien que littéraires en même temps que l'adhésion à un idéal artistique élevé. »**

Voici quelques sous-questions susceptibles de vous aider à dégager les idées directrices.

- Énumérez les diverses formes de « malédiction » qui affligent les poètes présentés dans le recueil.

- Quels sont les poèmes qui présentent à un titre ou à un autre un *art poétique** dont les principes entrent en contradiction avec les lois du classicisme* ?

- Identifiez quelques-unes des conventions sociales que tendent à discréditer les poèmes du recueil.

- Montrez comment chacun des poètes refuse, à sa façon, les valeurs de la bourgeoisie, dominantes à son époque.

- Quels sont les poètes qui expriment le plus clairement leur attachement au principe de l'art pour l'art ?

- Montrez que l'« idéal » artistique poursuivi par les poètes peut revêtir diverses formes.

❸ **Faites la preuve que le spleen baudelairien est un état d'âme partagé par d'autres poètes présentés dans le recueil.**

❹ **Montrez que même si chaque auteur trace un portait différent de la figure du poète, tous le présentent comme un individu en rupture avec la société.**

***** : *Cf.* Glossaire

❺ Démontrez en quoi la souffrance et l'exclusion constituent des thèmes importants qui traversent l'ensemble de ce recueil.

❻ Commentez l'affirmation suivante en vous inspirant, dans votre réponse, d'œuvres présentées dans le présent recueil : « Le véritable poète est celui qui sait transformer la boue en or. »

❼ Montrez comment, dans ce recueil, plusieurs poèmes constituent une critique virulente du mode de vie bourgeois.

❽ Faites la démonstration que ce recueil illustre de diverses façons la rupture formelle propre à la modernité*.

❾ Montrez de quelle façon ce recueil peut interpeller le lecteur d'aujourd'hui.

* : *Cf.* Glossaire

Glossaire

Pour étudier la poésie : lexique de base et autres termes

Alexandrin : vers de douze pieds.

Allégorie : façon de symboliser un concept par la comparaison ou la personnification, qui se poursuit sur plusieurs phrases dans le texte.

Archaïsme : utilisation d'un terme vieilli, ancien, qui n'a plus cours et qui ne fait plus partie de la langue courante.

Archétype : modèle, type universel.

Aristocrate : individu appartenant au groupe social de la noblesse. Synonyme de *noble*.

Art poétique : ensemble de règles appliquées à l'art, notamment en littérature, pour faire beau.

Bohème : personne qui mène une vie vagabonde, insouciante.

Bonapartistes : partisans du régime impérial en France.

Bourgeoisie : d'abord issue du peuple, cette classe tire profit en France de la révolution pour augmenter son pouvoir dans toutes les sphères sociales tout en investissant ses capitaux dans l'industrie, ce qui favorise son enrichissement.

Classicisme : courant en vogue sous le règne de Louis XIV en France, qui favorise l'idéal de l'honnête homme, la pureté des genres (comique ou tragique) et l'application de règles et de critères pour encadrer la création artistique.

Commedia dell'arte : tradition théâtrale d'origine italienne, fondée sur l'improvisation à partir de canevas, mettant l'accent sur le comique gestuel. Les comédiens jouent masqués des personnages stéréotypés, qui reviennent d'une pièce à l'autre.

Courant classique : voir Classicisme.

Courant impressionniste : voir Impressionnisme.

Courant symboliste : voir Symbolisme.

Dandy : homme qui fait la promotion d'une forme de recherche dans l'habillement afin de se distinguer du commun des mortels.

Écriture automatique : technique d'écriture utilisée notamment par les surréalistes comme un mode de création littéraire, permettant de se soustraire aux limites jugées trop étroites de la pensée régie par la raison.

Enjambement : il y a enjambement lorsqu'un mot (ou un ensemble de mots), ayant un lien étroit avec le sens d'un vers, est reporté au vers suivant afin de créer un effet rythmique.

Fascicules : parties d'un ouvrage écrit publié en plusieurs tranches.

Hémistiche : moitié d'un vers coupé par une césure.

Hérault : synonyme de *messager*.

Hugo, Victor (1802-1885) : homme politique français et écrivain, chef du courant romantique en France.

Idyllique : Idéalisé.

Ironie : forme d'humour souvent fondée sur des antiphrases. L'ironie caustique est mordante et se rapproche du cynisme.

Louis-Philippe (1773-1850) : dernier roi à avoir régné sur la France dans le cadre d'une monarchie constitutionnelle (impliquant une démocratisation du pouvoir).

Lyrisme : expression forte des sentiments personnels.

Mécène : personnalité générale-ment riche et haut placée dans la société, qui apporte son aide financière à des artistes ou à des institutions du domaine artistique.

Mercantile : relatif au commerce.

Métaphore : figure de style qui installe un rapport d'analogie entre deux réalités différentes, sans l'usage d'un élément de comparaison.

Modernité : caractère de ce qui est moderne, notamment dans le domaine artistique.

Monarchie constitutionnelle : assouplissement du régime monarchique dans le sens de la démocratie.

Monarchistes : partisans du régime de la monarchie.

Musset, Alfred de (1810-1857) : poète, dramaturge et romancier, qui transpose dans son œuvre son malaise existentiel, ce « mal du siècle » qu'on associe à la génération romantique.

Napoléon Bonaparte (1769-1821) : général sous la Révolution, d'abord élu consul à vie, puis sacré empereur des Français sous le nom de Napoléon Ier ; il gouverna la France de 1804 à 1814.

Napoléon III : empereur des Français de 1852 à 1870, neveu de Napoléon Ier.

Onirisme : qui se rapporte au monde du rêve.

Parnasse : mouvement littéraire de la seconde moitié du XIXe siècle, qui favorise, surtout en poésie, la perfection formelle tout en rejetant l'engagement au service d'une cause sociale ou politique.

Poe, Edgar Allan (1809-1849) : écrivain et poète américain. Une des principales figures du romantisme, il est souvent considéré comme l'inventeur du roman policier, et a contribué à donner ses lettres de noblesse à la nouvelle.

Poème graphique : appelé aussi *calligramme*, c'est un poème présenté de manière à ce qu'il dessine, graphiquement, un objet, normalement celui dont il est question dans le poème.

Prolétariat: synonyme de *classe ouvrière*.

Prologue: premières pages qui servent de préambule à un texte.

Rejet: en poésie, report d'un mot au vers suivant.

Réminiscences: souvenirs imprécis.

Républicains: partisans de la démocratie (régime présidentiel).

Restauration: retour à la monarchie (1814-1830) avec les règnes successifs de Louis XVIII et de Charles X, frères cadets du roi Louis XVI, guillotiné en 1793.

Révolution française: enclenchée en 1789, cette insurrection populaire mène à la fin de l'Ancien Régime (régime reposant sur les privilèges et l'arbitraire). Le roi Louis XVI est guillotiné en 1793, et tous les jeunes chefs révolutionnaires subiront le même sort, ce qui laissera la voie libre à Napoléon Bonaparte.

Rime: retour, dans deux vers proches, du même son dans la dernière voyelle accentuée située en fin de vers. La rime se caractérise par sa nature, sa disposition et sa qualité. Sa nature est soit masculine (dernière voyelle accentuée sonore), soit féminine (elle finit par un « e » muet). La règle classique demande que le poète fasse alterner les rimes féminines et les rimes masculines. La disposition est multiple: les rimes sont soit suivies (aabb), soit alternées ou croisées (abab), soit embrassées (abba). Les rimes sont de diverses qualités: elles sont riches quand au moins trois sons sont communs aux deux vers. Ce qui fait la valeur d'une rime n'est pas sa qualité, mais le caractère inédit de l'association et l'éloignement (notamment grammatical) des deux mots placés à la rime.

Romantisme: mouvement littéraire du début du siècle mettant l'accent sur la sensibilité subjective.

Rondel: poème sur deux rimes avec répétition des vers.

Sonnet: poème à forme fixe, constitué de deux quatrains suivis de deux tercets. Dans le sonnet classique dit *régulier*, la disposition des rimes est: abba/abba/ccd/ede (ou ccd/eed).

Spleen: mélancolie.

Suffrage universel: en régime démocratique, droit de vote accordé d'abord aux hommes, puis plus tardivement aux femmes.

Surréalisme: courant artistique (1920-1950) favorisant l'accès aux rêves et à l'inconscient, notamment par le moyen de l'écriture automatique.

Symbolisme: mouvement esthétique de la fin du XIXe siècle, qui s'inscrit contre le matérialisme et le naturalisme. Pour les symbolistes, le monde est à déchiffrer à travers des symboles, des correspondances entre les choses et les êtres. Ses plus illustres représentants sont Verlaine, Mallarmé, Cros, Rimbaud et Laforge.

Synecdoque : figure qui consiste à prendre la partie pour le tout, le contenant pour le contenu, la matière pour l'objet.

Synesthésique : relatif à la figure de style présentant la combinaison de plusieurs sensations.

Terreur : radicalisation de la révolution qui mène à des exécutions massives. La Terreur se termine avec l'exécution de Robespierre et de ses partisans en juillet 1794.

Vassal : dans le régime de la féodalité, tout individu placé dans un rapport de dépendance par rapport à un supérieur. Synonyme de *dépendant*, *inférieur*, *soumis*.

Vers : en poésie, assemblage de mots cadencés (sur une même ligne) selon certaines règles.

Voyant : celui ou celle (voyante) qui a le don de voir des événements se déroulant ailleurs, ou même dans le passé ou le futur.

Watteau, Antoine (1684-1721) : peintre de l'intimité amoureuse et de la mélancolie ; son art de la nuance annonce l'impressionnisme.

Bibliographie

– Marie-Caroline Carlier, *Parnasse et symbolisme : 10 poèmes expliqués*, Hatier, 1986.

– Marie-Caroline Carlier, *Les fleurs du mal : 10 poèmes expliqués*, Hatier, 1985.

– Bernard Delvaille, *La poésie symboliste*, P. Seghers, 1971.

– Philippe Forest, *Le symbolisme ou naissance de la poésie moderne*, P. Bordas, 1989.

– Micha Grin, *Tristan Corbière : poète maudit*, Éditions Du Nant D'Enfer, 1971.

– Henri Peyre, *Qu'est-ce que le symbolisme ?* Presses universitaires de France, 1974.

– Noël Richard, *Le mouvement décadent : dandys, esthètes et quintessents*, A.-G. Nizet, 1968.

– Céline Thérien, *L'Abrégé : Notions littéraires, lecture, écriture*, Les Éditions CEC, 2010.

Dans la même collection